ESPAÑOL EN DIRECTO
NIVEL 2A

AQUILINO SANCHEZ / M. T. CABRE / J. A. MATILLA

Escuela Oficial de Idiomas de Barcelona

ESPAÑOL EN DIRECTO

NIVEL 2A

SOCIEDAD GENERAL ESPAÑOLA DE LIBRERIA, S.A.

MADRID

Primera edición, 1975
Segunda edición, 1978
Tercera edición, 1980
Cuarta edición, 1982
Quinta edición, 1984
Sexta edición, 1985

Producción:
SGEL-EDUCACION
Marqués de Valdeiglesias, 5 - Madrid-4

Dibujos: J. Casanova
Portada: Julián Santamaría

ISBN: 84-7143-057-6
Depósito legal: M-2102-1985

Impreso en España - Printed in Spain

Imprime: COFÁS, S. A. Pol. Callfersa (Fuenlabrada)

Encuaderna GARMAGO, Esteban Terrada, 12.

En el *Nivel 1 (1A* y *1B)* de **Español en Directo** se ha alcanzado un dominio del español fundamental: se han presentado los aspectos estructurales o gramaticales más comunes y principales, se han introducido unas 1.500 palabras referentes a situaciones frecuentes en la vida diaria y, con la orientación general del método y los diferentes medios que se han puesto a disposición del alumno y del profesor, se ha podido alcanzar un nivel aceptable y suficiente del español hablado y escrito dentro de los límites propuestos.

En el *Nivel 2* nos proponemos ampliar esos conocimientos tanto en extensión como en profundidad. Se estudiarán aspectos en ocasiones no presentados en el *Nivel 1* y, más frecuentemente, aspectos que permitirán la comunicación utilizando formas y estructuras más complejas, aunque sin entrar en áreas excesivamente especializadas o técnicas. Para lograr tales fines es preciso ofrecer vocabulario adecuado, aunque también manteniéndonos en términos discretamente generales. Ambos fines pretendemos alcanzarlos mediante:

1. **Lectura.** Presentación de vocabulario y estructuras dentro de un contexto situacional. El cometido de las imágenes visuales tiene aquí menos importancia que en el *Nivel 1,* dado que el alumno posee ya más elementos para comprender el texto sin tales ayudas.

A continuación, en la página siguiente, se amplía el vocabulario de algunas áreas concretas y generalmente con la ayuda de dibujos.

2. **Comprensión.** La comprensión, tanto global como pormenorizada, cobra especial interés y ha de utilizarse también para promover la expresión libre y creadora.

3. **Esquema gramatical.** Los aspectos gramaticales siguen presentándose de manera esquemática, añadiendo con frecuencia explicaciones cortas y claras. Conviene que cualquier explicación de este tipo se refiera siempre a textos concretos, especialmente a la lectura inicial.

A continuación siguen dos ejercicios prácticos con la única finalidad de aprender y entender, insistiendo en lo expuesto en el Esquema gramatical.

4. **Lo que usted debe saber.** En la vida diaria el extranjero que entra en contacto con una nueva cultura suele encontrarse con frecuentes dificultades por no conocer algunos de los mecanismos y formulismos más utilizados en esa nueva cultura. Con esta sección pretendemos suplir dicho vacío. Aconsejamos que el alumno preste especial atención a las palabras por nosotros anotadas, ya que son de uso más frecuente.

5. **Ortografía, Acentuación, Fonética.** Al practicar más intensamente la expresión escrita, conviene conocer las convenciones o reglas a las que dicha expresión escrita se atiene. De ahí la importancia que el alumno debe prestar a las reglas de acentuación. Existen igualmente algunos aspectos de la pronunciación que pueden ofrecer dificultad especial. En esta página estudiamos algunos de los contrastes más sobresalientes.

6. **Situación.** Teniendo siempre en mente el hecho de que el alumno debe practicar su expresión oral bajo la guía del profesor, seguimos ofreciendo una «situación visual» que permitirá al alumno practicar la lengua hablada basándose en dibujos.

Nota.—En la **Guía Didáctica** correspondiente a este nivel se exponen con más detalle las directrices y presupuestos metodológicos que hemos seguido en la elaboración del material.

1 | *¿Y dónde estás ahora?*

Juan: —¿Puedo hablar con Pepe?

Pepe: —Soy yo. ¿Quién llama?

Juan: —Soy Juan. Oye. ¡Me han robado el coche!

Pepe: —¿Qué dices?

Juan: —Que me han robado el coche.

Pepe: —¿Y dónde estás ahora?

Juan: —Estoy en un hotel, en la calle del Puerto. Llegué anoche y dejé el coche aparcado en la calle con el equipaje dentro.

Pepe: —Ahora mismo salgo para allá. En diez minutos estaré contigo.

Pepe: —¡Hola, Juan! Me alegro de verte. Pero..., cuéntame de nuevo qué ha pasado con tu coche.

Juan: —Pues mira, anoche llegué tarde y vine a este hotel. Aparqué el coche en la acera de enfrente y ahora no está allí.

Pepe: —¿Cómo se te ocurrió dejar el equipaje dentro? Probablemente encontraremos el coche, pero el equipaje... ¿Has avisado a la policía?

Juan: —No. No sé qué tengo que hacer.

Pepe: —Nada especial. Ir a una Comisaría y contar qué te ha ocurrido.

Juan: —¿Puedes acompañarme tú? Temo que yo no sepa explicarme bien.

Pepe: —De acuerdo. Vamos.

Policía: —¿Por qué ha dejado usted el coche en esa calle? ¿No ha visto la señal de «prohibido aparcar»? Su coche ha sido retirado por la grúa municipal. Firme este papel. También tiene que pagar una multa. Y ahora ya puede llevarse el coche.

Ampliación

El guardia urbano...

dirige el tráfico

pone una multa

regula el tránsito

detiene la circulación

sanciona al conductor

evita accidentes

llama la atención al peatón

controla los semáforos

prohíbe aparcar

Comprensión

I. *Responda según el diálogo:*

1. ¿Cómo hablan Juan y Pepe?
2. ¿Han robado el coche a Pepe?
3. ¿Dónde y cómo había dejado el coche?
4. ¿Qué conviene hacer cuando roban el coche?
5. ¿Para qué van a una Comisaría?
6. ¿Por qué no quiere ir solo?
7. ¿Qué había ocurrido con el coche de Pepe?
8. ¿Qué ha de hacer Pepe para recuperar el coche?

II. *Complete:*

1. Cuando el coche está mal aparcado, el policía ....
2. Si hay un accidente, ...
3. Cuando hay mucha circulación, ...
4. Si los niños cruzan la calle con el semáforo en rojo, ...
5. Cuando hay varios cruces de calles, ...
6. Si el conductor no obedece a las señales de tráfico, ...
7. Si hay un aparcamiento reservado, ...
8. Cuando roban el coche, ...
9. Podemos cruzar la calle cuando ....
10. La grúa municipal ....

III. *Hable sobre:*

1. Un policía le pone una multa.
2. Convendría suprimir la circulación en las ciudades.
3. El coche del siglo XXI.

3

Aprenda

I.

¿CÓMO	viajan	nuestros amigos?
¿QUIÉN	llama	por teléfono?
¿QUÉ	hace	Pepe con el coche?
¿CUÁNDO	llegasteis	al hotel?
¿DÓNDE	has dejado	el equipaje?
¿CUÁNTO	pagó	Juan por la multa?

La partícula interrogativa va en primer lugar antes del verbo y puede ir precedida de una preposición (A, DE, etc.).

II.

El español tiende a poner al principio o al final de la oración la palabra a la que se quiere dar más importancia.

Normal:

Los niños juegan por esta zona.

Énfasis en el primer elemento:

Por esta zona juegan los niños.

III.

En español el orden de las palabras en la oración no es tan riguroso como en otras lenguas europeas. Suele ajustarse al modelo siguiente:

S - V - O.D. - O.I. - C.C.

Ejemplo:

María	escribe	una carta	a su amigo	con la pluma nueva.
S	V	O.D.	O.I.	C.C.

Practique

I. *Utilice «cómo», «cuándo», «quién», etc.*

Los niños viajan a pie.   **.—¿Cómo viajan los niños?**

1.   Ahora estoy en el hotel.   .—.................................

2.   Juan llamó por teléfono.   .—.................................

3.   Dejaron el equipaje en el coche.   .—.................................

4.   Llegaste muy tarde al hotel   .—.................................

5.   Vimos la señal de «prohibido aparcar».   .—.................................

6.   Juan y María viajan en tren.   .—.................................

7.   Dejaron el coche mal aparcado.   .—.................................

8.   Ahora mismo lo sabremos.   .—.................................

9.   Me lo dijo el dueño de la gasolinera.   .—.................................

10. Juan pagó 1.000 ptas. por la multa.   .—.................................

¿CUÁNTO TE COSTÓ EL COCHE?

II. *Ordene las palabras siguientes formando una oración correcta:*

1.   ¿verme / a / domingo / el / vendréis?   .—.........................

2.   ¿juntos / lo / que / hagan / deseas?   .—.........................

3.   vivirás / tranquilo / allí / más.   .—.........................

4.   carteles / unos / nosotros / comprado / hemos. .—.........................

5.   piso / el / vivo / en / primer.   .—.........................

6.   ¿telefoneado / ingeniero / ha / el?   .—.........................

7.   ¿casa / quién / con / está / ellos / en?   .—.........................

8.   ¿anoche / Carmen / a / fue / dónde?   .—.........................

9.   libro / compré / dame / que / el / ayer.   .—.........................

10. diez / salió / hace / minutos.   .—.........................

Reglas generales de acentuación:

Se ha de poner acento ortográfico:

1. En todas las palabras agudas de más de una sílaba que acaben en vocal, en *n* o en *s:*

    > *cantó, inglés, jabón.*

    Palabras como *atar, comer, fatal,* etc., no llevan acento por no cumplir las condiciones de la regla.

2. Se acentúan todas las palabras llanas que no acaben en *n, s* o vocal:

    > *fácil, azúcar, cárcel.*

    No llevan, pues, acento: *Pedro, tocaba, martes, Carmen,* etc.

3. Llevan acento ortográfico todas las palabras esdrújulas:

    > *música, mecánico, rápido.*

EJERCICIO PRÁCTICO.—*Ponga los acentos gráficos que faltan:*

Tu horoscopo:

Te sentiras atraido por una de tus amigas. Hareis un viaje juntos. Te aconsejo que actues con precaucion. No conviene que te precipites en tus decisiones.

Tendras una oportunidad de mejorar tu situacion. No pierdas la ocasion. Conviene que actues con cautela, pero no te preocupes mucho por cuestiones de tipo economico. El dinero que esperas llegara con toda seguridad.

Lo que Vd. debe saber

Es posible que, aprovechando algún descuido, usted pueda encontrar algún papel semejante sobre el parabrisas de su coche. Se trata de una multa por no cumplir el «Código de la circulación».

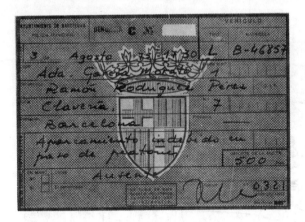

ADVERTENCIAS

1.ª — Caso de estar V. conforme con la multa correspondiente a la infracción denunciada, puede satisfacerla dentro del plazo de 10 días hábiles a contar desde el siguiente al de su fecha, con la bonificación del 20 % de su importe, EN CUALQUIER ESTABLECIMIENTO BANCARIO DE ESTA CIUDAD (central, sucursal o agencia) mediante papel municipal de pagos que les será facilitado en el propio establecimiento bancario.

2.ª — Dentro del plazo de 10 días hábiles a partir del siguiente al de la fecha de este boletín puede V. formular su descargo y aportar o proponer las pruebas que estime convenientes, mediante escrito que deberá presentar en el Registro general del Ayuntamiento (Plaza de San Jaime, s/n.) y en el que habrá de consignar, en especial, el número y fecha de la denuncia, la matrícula del vehículo y el número del Agente denunciante.

Anote:

Denuncia: Documento para castigar una infracción.

Infracción: Falta cometida.

Conforme: De acuerdo.

Satisfacerla: Pagarla.

Formular: Hacer, presentar por escrito.

Estime: Juzgue, considere.

Matrícula: Placa de identificación del coche.

Situación

Explique oralmente

2 | *Están muy caros*

Teresa:	—Mira, esto es un mercado. Es uno de los más antiguos de la ciudad. ¿Entramos? Tengo que comprar fruta y verdura para la comida.
Vendedora:	—Buenos días. ¿Qué desea usted, señora?
Teresa:	—Póngame una lechuga. ¿A cómo va el kilo de plátanos?
Vendedora:	—A cuarenta pesetas.
Teresa:	—Están muy caros. Déme entonces dos kilos de naranjas. Las naranjas van muy bien para calmar la sed. Lástima que no haya naranjas en verano.
Vendedora:	—Es verdad; es una fruta de invierno.
Teresa:	—Póngame también cien gramos de zanahorias y un apio.
Pilar:	—El domingo saldremos con unos amigos al campo en el coche. Tenemos que preparar una buena comida.
Teresa:	—Quiero también tomates. Póngame medio kilo. En esta época no hay tomates en las huertas españolas. Los traen todos de Canarias. Allí el clima es benigno.
Pilar:	—Me gustaría visitar Canarias. Dicen que es una zona maravillosa, sobre todo las ciudades modernas.
Teresa:	—Si quieres, podemos ir en octubre. Pero ya lo decidiremos. ¡Oye! ¿Sabes que tengo un hambre feroz? El olor de los mercados me despierta el apetito.
Pilar:	—A mí me ocurre lo mismo. También tengo hambre. Compremos, antes de irnos, una col y un kilo de patatas. Me gusta mucho la verdura con patatas.
Teresa:	—¿Cuánto es, por favor?
Vendedora:	—Son ciento cincuenta pesetas.
Teresa:	—Tome.
Vendedora:	—Bien, aquí está el cambio.

El pan se compra en una panadería.

En la farmacia se adquieren medicinas.

En el estanco se vende tabaco.

La señora compra carne en la carnicería.

El azúcar se compra en una tienda
de ultramarinos.

En la pastelería hay pasteles.

En la pescadería se vende pescado.

En la pollería se compran pollos.

En la mercería se vende hilo y agujas.

En la droguería se vende jabón.

Comprensión

I. *Responda según el diálogo:*

1. ¿A qué mercado va de compras la señora?
2. ¿Qué va a comprar?
3. ¿Está muy cara la fruta?
4. ¿Por qué prefiere las naranjas?
5. ¿De dónde vienen los tomates en invierno?
6. ¿Les gusta el olor de los mercados?
7. ¿Comprarán algo antes de irse?
8. ¿Cómo piden la cuenta al final?

II. *Complete:*

¿Qué se vende en...

1. .... una panadería? .—..
2. .... una mercería? .—..
3. .... una zapatería? .—..
4. .... una droguería? .—..
5. .... una carnicería? .—..
6. .... una farmacia? .—..
7. .... una frutería? .—..
8. .... una pescadería? .—..
9. .... una pollería? .—..
10. .... un estanco? .—..

III. *Hable sobre:*

1. «De compras» en su país.
2. Las verduras son suficientes para la alimentación humana.
3. Compare precios en dos mercados.

USOS ESPECIALES DEL ARTÍCULO

I. Fórmulas de tratamiento:

EL señor Pérez es gordo.	He visto AL señor Pérez.

PERO si nombramos a la persona con la que hablamos, no usamos el artículo:

—Buenos días, señor Pérez.

TAMPOCO se usa el artículo después de «Don»:

Don Juan es médico.

NI delante de los nombres de persona *NI* delante de los apellidos:

He visto a José. — **He visto a Pérez.**

II. Nombres de países:

a) Los nombres masculinos llevan el artículo delante:

Voy AL Brasil; vengo DEL Japón; EL Perú, ...

b) Los nombres femeninos a veces no llevan artículo:

Vengo de Argentina. = **Vengo de LA Argentina.**
Voy a Inglaterra. *PERO NO* **Voy a la Inglaterra.**

III. Días de la semana:

EL jueves es fiesta.	Llegó EL viernes.

PERO: **Hoy es martes; en martes no te cases ni te embarques...**

IV. Especificación:

Me gusta Barcelona.	Me gusta LA Barcelona de los años 70.

V. Profesiones:

Es médico *(pertenece a la profesión médica)*
Es EL médico de la familia *(individualiza)*

Practique

I. *Anteponga el artículo si es preciso:*

1. Llegaré a Barcelona ...*el*... viernes próximo.
2. .*El*... domingo estuve hablando con .*el*... señor González.
3. .*la*... semana próxima visitaremos a .... Sánchez.
4. Mañana no tendremos clase; es ...... sábado.
5. Habla inglés porque ha vivido dos años en ...*los*... Estados Unidos.
6. ¿Cómo estás, ... José? Hace mucho tiempo que no nos vemos.
7. Todos los veranos vamos de vacaciones a ...*las*... Islas Canarias.
8. ¿Qué desea? Soy ...*el*... director de esta empresa.
9. ¿Has hablado con .... María? Sí. Hablé con ella .*el*... otro día.
10. .*El*... señor Martínez quiere verte.

Se hizo rico en LAS Américas

II. *Complete con el artículo adecuado:*

A: —Buenos días. He visto .*el*. anuncio en .*el*. periódico y vengo a informarme ...... sobre .*el*. empleo.

B: —Rellene .*las*. hojas que hay en .*el*. sobre y espere. ¿Ha tenido usted otros ...... empleos?

A: —Sí, he trabajado en una zapatería y en .*una*. oficina.

B: —¿Qué hacía en .*la*. zapatería?

A: —Era cajera.

B: —¿Y en .*la*. oficina?

A: —Llevaba .*la*. correspondencia.

B: —¿Sabe usted .*la*. taquigrafía?

A: —Sí. Hice un curso .*el*. año pasado.

B: —¿Y .*la*. mecanografía?

A: —También. Doy .*las*... 250 pulsaciones por ...... minuto.

B: —Bien. .*la*... mañana puede usted comenzar a trabajar.

13

Ortografía

¿Cuándo se escriben letras mayúsculas en español?

1. Al iniciar un párrafo o después de un punto.

2. Todos los nombres propios: *José, Antonio,* ...

3. Los tratamientos, especialmente si se escriben en abreviatura: *Sr., D., Ud.,* ...

4. Los nombres referidos a instituciones, centros, establecimientos: *Escuela de Bellas Artes,* ...

5. Los títulos de obras: *«Ortografía Castellana», «Español en Directo».*

Si se trata de consonantes dobles iniciales, sólo se escribe la primera en mayúscula: *China, Llorente,* ...

EJERCICIO PRÁCTICO.—*Ponga mayúsculas donde convenga:*

el domingo visité el museo del prado. pasé allí una mañana entera. es algo extraordinario. hay tantas salas que es imposible verlo todo. me gustaron mucho los cuadros de velázquez, en especial «las meninas» y las pinturas de goya, sobre todo «los caprichos» y «las tauromaquias».

al día siguiente visité el museo de arte moderno, la plaza mayor y los jardines de aranjuez.

también estuve en el escorial. me gustó mucho madrid.

la próxima vez visitaré toda castilla.

Lo que Vd. debe saber

Lista de precios de un mercado

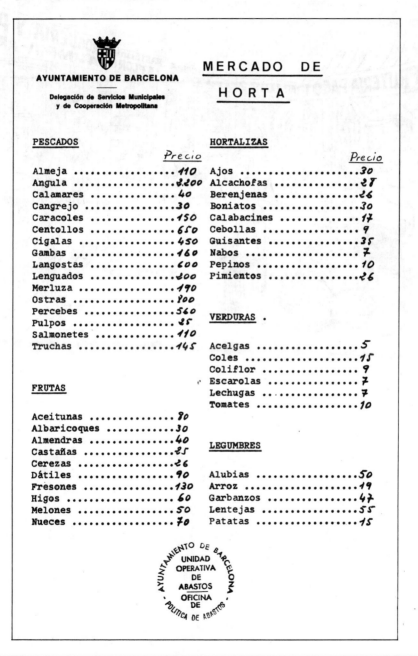

AYUNTAMIENTO DE BARCELONA

Delegación de Servicios Municipales
y de Cooperación Metropolitana

MERCADO DE HORTA

PESCADOS	Precio	HORTALIZAS	Precio
Almeja	110	Ajos	30
Angula	2.200	Alcachofas	28
Calamares	40	Berenjenas	26
Cangrejo	30	Boniatos	30
Caracoles	150	Calabacines	17
Centollos	650	Cebollas	9
Cigalas	450	Guisantes	35
Gambas	160	Nabos	7
Langostas	600	Pepinos	10
Lenguados	200	Pimientos	26
Merluza	190		
Ostras	200		
Percebes	560	VERDURAS .	
Pulpos	25		
Salmonetes	110	Acelgas	5
Truchas	145	Coles	15
		Coliflor	9
		Escarolas	7
FRUTAS		Lechugas	7
		Tomates	10
Aceitunas	80		
Albaricoques	30		
Almendras	40	LEGUMBRES	
Castañas	25		
Cerezas	26		
Dátiles	90	Alubias	50
Fresones	130	Arroz	19
Higos	60	Garbanzos	47
Melones	50	Lentejas	55
Nueces	70	Patatas	15

AYUNTAMIENTO DE BARCELONA
UNIDAD OPERATIVA DE ABASTOS
OFICINA DE POLITICA DE ABASTOS

3 | *Nunca había hecho nada...*

Carmen: —¿Dónde has estado este verano? Nunca sé dónde estás.

Isabel: —Tampoco yo recibo noticias tuyas... Pero todavía continúo siendo tu amiga. Acabo de llegar de Francia. He pasado dos meses en París.

Carmen: —¡Jamás lo hubiera imaginado! Antes nunca salías de casa. ¡Eras tan tímida...!

Isabel: —Pero ya ves que ahora estoy cambiada. Además he trabajado mucho.

Carmen: —¿Lo dices en serio?

Isabel: —Sí. Estaba con una familia y tenía que hacer de todo: limpiar la casa, cuidar a los niños, sacar el perro a pasear...

Carmen: —Antes no te gustaba hacer nada...

Isabel: —Pero siempre había deseado hacer algo. ¡Y alguna vez tenía que empezar!

Carmen: —¿Te fue difícil encontrar trabajo?

Isabel: —Sí, mucho. Tardé una semana entera en encontrarlo. Supe que una familia necesitaba una chica para que cuidase a sus tres hijos: un niño y dos niñas. Me ofrecieron una pequeña cantidad de dinero al mes y las tardes libres. Y además nadie me obligaba a llegar a casa a una hora determinada.

Carmen: —¡Caramba! ¿Y no tenías ninguna obligación más por las tardes?

Isabel: —No, excepto una que yo misma me impuse: aprender francés.

Carmen: —¿Sabes, Isabel...? Me estoy animando a hacer lo mismo el verano próximo.

Ampliación

Limpiar los crístales.

Fregar el suelo.

Quitar el polvo.

Planchar la ropa.

Barrer la habitación.

Ordenar los armarios.

Lavar los platos.

Hacer la comida.

Preparar el desayuno.

Encerar el suelo.

Comprensión

I. *Responda según el diálogo:*

1. ¿Se ven a menudo Carmen e Isabel?
2. ¿Dónde ha estado Isabel durante el verano?
3. ¿Por qué ha cambiado Isabel?
4. ¿Qué tenía que hacer Isabel en París?
5. ¿Le fue fácil encontrar trabajo?
6. ¿Cuánto dinero ganaba Isabel?
7. ¿Tenía tiempo libre?
8. ¿Le gustaría hacer lo mismo a Carmen?

II. *Complete:*

1. Después de comer, (Antonio) .... los platos.
2. Cuando el piso está sucio, (Carmen) ....
3. Cuando llueve, (vosotros) .... los cristales.
4. Mientras la familia espera, (la madre) .... la comida.
5. Mientras el marido duerme, (la mujer) .... el desayuno.
6. Todos los lunes (nosotros) .... la ropa.
7. A las siete de la mañana (María) .... de compras.
8. Cada día (yo) .... la habitación.
9. (Nosotros) .... el suelo una vez al mes.
10. Carmen me ayuda cada día a .... la comida.

III. *Hable sobre:*

1. Las chicas de servicio en su país.
2. ¿Debe dedicarse la mujer a las tareas del hogar?
3. Imagínate haciendo las tareas de la casa.

Aprenda

I.

Yo **NO** sé **NADA**

NADIE dice **NUNCA NADA**

II. *no not needed when neg. at beg (before verb)*

NADA *nothing* *no*	es imposible en esta vida
NINGÚN *nobody*	profeta es bien recibido en su tierra
NADIE *never*	(se) lo imaginaba
NUNCA *neither*	sé dónde estás
TAMPOCO *never*	yo he recibido noticias tuyas
JAMÁS	habían hablado en público

Pondremos la forma **NO** delante del verbo si a éste le sigue una de las partículas del esquema anterior.

En caso contrario se elimina la forma **NO**.

Practique

I. *Niegue las siguientes frases según el modelo:*

Necesitaban a alguien.   **.—No necesitaban a nadie.**

1. Se puede hacer algo por ellos.   .—.......................................
2. Alguna vez sabré dónde estás.   .—.......................................
3. También yo recibí noticias tuyas.   .—.......................................
4. Alguien me dijo que estabas en Francia.   .—.......................................
5. Era necesario comprar algo para comer.   .—.......................................
6. Siempre salías de paseo los domingos.   .—.......................................
7. A él también le gustaba este trabajo.   .—.......................................
8. Algún día me animaré a ir al extranjero.   .—.......................................
9. A mi hermano también le hacen la cama.   .—.......................................
10. Mi mujer siempre lava los platos.   .—.......................................

NUNCA había de NADIE

II. *Ponga en forma afirmativa:*

1. Jamás barre la habitación.   .—.......................................
2. Nadie va de compras.   .—.......................................
3. Tampoco yo sabía nada de ti.   .—.......................................
4. No le gustaba hacer nada.   .—.......................................
5. Nadie me necesitaba.   .—.......................................
6. Ninguno lo había dicho.   .—.......................................
7. Nunca hizo la comida para su marido.   .—.......................................
8. Tampoco yo le saco brillo a los muebles.   .—.......................................
9. A nadie le dijiste eso.   .—.......................................
10. Jamás lo vi cansado.   .—.......................................

Fonética

CONTRASTE [θ] - [k]

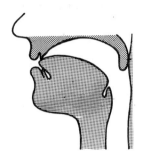

Articulación de [θ]

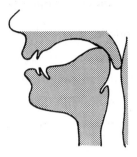

Articulación de [k]

[θ] Corresponde a la «z» y a la «c» cuando está seguida de **i/e.**

[k] Corresponde a la «c» cuando va seguida de **a, o, u,** y a la secuencia **«qui», «que».**

Ejercicios prácticos:

zapato	**k**ilo
quin**c**e	**c**osa
celebrar	**c**oche
na**c**ión	**c**abeza
ceni**c**ero	**qu**eso
cesto	**qu**edarse

Lo que Vd. debe saber

Un pasaporte

Países para los cuales este pasaporte es válido (Pays pour les quels ce passeport est valable)	**2** SEÑAS PERSONALES.-(SIGNALEMENT)
	Profesión *Industrial* (Profession)
	Estado civil *casado* (Etat civil)
TODOS LOS DEL MUNDO	Lugar y fecha de nacimiento *Madrid* (Lieu et date de naissance) *4-3-1931*
excepto:	Domicilio *Islas Filipinas 22* (Domicile)
Albania, Bulgaria, Checoeslovaquia, Hungría, Mongolia exterior, Polonia, Rep. Popular China, Rumania, U.R.S.S. Yugoeslavia, Rep. Dem. Alemana Rep. Popular Corea, Rep. Dem. Vietnam.	ESPOSA (épouse) Profesión (Profession) Lugar y fecha de nacimiento (Lieu et date de naissance)
La validez de este pasaporte terminará (Ce passeport expire)	HIJOS MENORES DE 15 AÑOS (Enfants de moins de 15 ans) NOMBRE (prénoms) EDAD (àges) SEXO (sexe)
-5 OCT 1971	
a menos que sea renovado *(a moins de renouvellement)	
Expedido en **MADRID** (Délivré á)	
fecha { **6 OCT 1969** (date) {	

Anote:

Estado civil   Validez

Hijos menores   Expedido

Nombre

Periodista:	—El público ya empieza a preocuparse porque todo el mundo dice que debemos ahorrar energía. ¿Qué piensa usted sobre esto?
Ingeniero:	—Efectivamente, la gente tiene que preocuparse por un problema que nos afecta a todos. Antes, la energía era abundante y barata. Pero ahora todos consumen más. Y ya sabe usted: a mayor demanda, mayor precio. Es un problema de mercado... y quizá también de política.
Periodista:	—Como técnico, ¿se atrevería usted a decir que la energía se acabará algún día?
Ingeniero:	—No soy especialista en predecir el futuro. Pero todos saben que la Tierra depende del Sol y que el Sol se acabará algún día. Es posible afirmar que la energía tendrá un fin. Si usted se refiere a otras fuentes de energía, como el petróleo, también es cierto que se han de agotar alguna vez. Y, ciertamente, cuanto más se gaste, antes se agotará.
Periodista:	—Entonces el ahorro de energía ¿significa ahorro de petróleo?
Ingeniero:	—Y ahorro de electricidad y ahorro de gas y ahorro en los artículos de consumo en general.
Periodista:	—¿Y cuando se acabe el petróleo...?
Ingeniero:	—Se conocen ya otras fuentes de energía y se investiga sobre ellas: la luz solar, la energía atómica..., como los telespectadores ya saben. Cuando el petróleo se acabe, dispondremos de otros medios.
Periodista:	—En tal caso la industria deberá acomodarse a una realidad nueva: se habrá de cambiar la maquinaria, se habrán de formar nuevos técnicos...
Ingeniero:	—Eso es. Pero mientras esto se logra, tenemos que ahorrar. Así las dificultades del cambio serán más leves.

Ampliación

¿Qué debe hacer usted para gastar menos?

Apagar la estufa.

Mantener la habitación a 15° C.

Circular a 70 Kms. por hora.

Limitar la velocidad.

Adelantar el horario.

Desplazarse en metro.

Disminuir el consumo de gas.

Desconectar la TV a las 10,00 h.

Desenchufar el calentador.

Restringir la iluminación de las calles.

Comprensión

I. *Responda según el diálogo:*

1. ¿A quién entrevista el periodista?
2. ¿Por qué se preocupa la gente?
3. ¿Es cierto que suben los precios cuando se consume más?
4. ¿En qué no es especialista el técnico?
5. ¿Se acabará alguna vez la energía?
6. ¿Por qué?
7. ¿Qué otras fuentes de energía se conocen?
8. ¿A qué se deben las dificultades de la indûstria?

II. *Forme una frase con cada una de las palabras siguientes:*

1. estufa .—...
2. ahorrar .—...
3. desconectar .—...
4. horario .—...
5. velocidad .—...
6. calentador .—...
7. desplazarse .—...
8. restringir .—...
9. gas .—...
10. petróleo .—...

III. *Hable sobre:*

1. Imagínate que una nación se queda sin petróleo.
2. Consejos para ahorrar energía.
3. El ahorro no basta. hay que descubrir nuevas fuentes de energía.

Aprenda

I. Expresión de obligación

DEBER + **infinitivo** = obligación moral

TENER QUE + **infinitivo** = obligación impuesta y, a veces, sentido de inmediatez

HABER DE + **infinitivo** = de menor uso; equivalente a los anteriores

HAY QUE + **infinitivo** = forma impersonal de obligación

II. Saber y conocer

En general, *SABER* se refiere a un conocimiento más total que el significado por *CONOCER*.

CONOCER frecuentemente sólo significa un conocimiento aproximado y superficial de algo.

No obstante, existen expresiones que presentan algunas variantes.

Ejemplos:

SÉ la lección   **CONOZCO** el tema

SÉ de qué se trata   **¿CONOCES** a mi familia?

SÉ en qué estás trabajando

III. Saberse y conocerse

SABERSE: Se usa poco: (Nunca **SE SABE** la lección)

CONOCERSE: forma reflexiva: **(NOS CONOCEMOS** muy bien)

Practique

I.

Hay que quedarse en casa. *tú.* **—Debes quedarte en casa.**

1. Hay que apagar la estufa. *vosotros* .—*debeis apagar la estufa*
2. Hay que ahorrar energía. *nosotros* .—*debemos ahorrar energía*
3. Hay que consumir menos petróleo. *ellos* .—*deben consumir menos petroleo*
4. Hay que adelantar el horario. *tú y yo* .—*debemos adelantar el horario*
5. Hay que ducharse a menudo. *todos* .—*deben ducharse a menudo*
6. Hay que levantarse temprano. *tú* .—*debes levantarte temprano*
7. Hay que formar nuevos técnicos. *los países* .—*deben formar nuevos técnicos*
8. Hay que acomodarse a los nuevos tiempos. *nosotros* .—*debemos acomodarnos*
9. Hay que subir el precio de la gasolina. *ellos* .—*deben subir el precio*
10. Hay que desconectar el televisor. *él* .—*debe desconectar el televisor*

> **SABEMOS que es profesor, pero no lo CONOCEMOS**

II. Use «saber» o «conocer», según convenga:

1. Luis y Teresa no *conocen* a nadie en esta ciudad.
2. Nunca .... bien a una persona.
3. Nosotros jamás *s* .... de qué hablaba el ingeniero. *imp*
4. ¿Quién *conoce* cuándo acabará la obra de teatro?
5. Ella ya *sabe* cómo se llama el profesor.
6. Hace dos años que Pedro *conoce* a la familia de Isabel.
7. Nos .... una tarde en casa de María. *preterite*
8. Mi hermana *sabe* tocar muy bien la guitarra.
9. ¿Desde cuándo *conoces* a tu novia?
10. Ella no *sabe* dónde vivimos ahora.

Casos especiales de acentuación: LOS MONOSÍLABOS

Generalmente no llevan nunca acento (fui, dio, vi, ...).
Solamente se pone acento para evitar confusiones cuando las mismas palabras pueden desempeñar funciones distintas en la frase.

Así, *tú, mí, él* (pronombres personales) para diferenciarlos de *tu, mi* (adjetivo posesivo) y *el* (artículo).

Dé (del verbo DAR) y *de* (preposición).

Más (cantidad) y *mas* (con significado de «pero»).

Sé (del verbo SABER o SER) y *se* (pronombre).

Té (nombre) y *te* (pronombre).

Sí (afirmación y pronombre) y *si* (condicional).

EJERCICIO PRÁCTICO.—*Ponga los acentos gráficos que faltan en el siguiente texto:*

—¿Te vas a quedar en casa?

—Si. Mis amigos esperan mi llamada. Ademas, Carlos me dijo que vendria a visitarme esta tarde. Si viene y no me encuentra en casa, se enfadara conmigo.

—No te preocupes por eso; el ya sabe que esta tarde vamos a la fiesta que da Carmen en su apartamento; ¡y tenemos una sorpresa para ti!

—De acuerdo. Entonces llamare ahora mismo a mis amigos y me ire con vosotros a la fiesta.

Lo que Vd. debe saber

Programa de TV

las peliculas de la semana

Lunes, 13 de enero

EL TEATRO. «Usted tiene ojos de mujer fatal», de Enrique Jardiel Poncela. Realización: Jesús Yagüe. Intérpretes: OSHIDORI: Ismael Merlo; SERGIO: José Martín; ELENA: M.ª Luisa San José; FRANCISCA: María Massip; PANTE-COSTI: Pedro del Río; INDALECIO: Félix Rotaeta; ADELAIDA: Mara Goyanes; BEATRIZ: M. González; LEONOR: Carmen Maura; JULIA: M.ª Jesús Sirvent; MARIANO: Pepe Cerro; NIÑA: Rocío Paso; PEPITA: Yolanda Ríos, y ARTURITO: Vicente Querta. Todo el secreto de su éxito con las mujeres consistía en decirles esta frase mágica y en no hacerles caso.

Jueves, 16 de enero

EL CINE. «Cáete muerta, cariño» (1966). Guión y dirección: Ken Hughés. Intérpretes: Tony Curtis, Rossanna Schiafino, Lionel Jeffries, Zsa Zsa Gabor, Nancy Kwan, Noel purcell. Un «play-boy» caza dotes, conquista el amor de una joven, viuda de un conde italiano. Casado por fin con ella, descubre que es tan pobre como él, pues es entonces cuando sabe que el heredero de la fortuna del conde fue un hermano de éste.

Sábado, 18 de enero

PRIMERA SESION. «El pequeño Coronel». Guión: William Conselman. Dirección: David Butler. Intérpretes: Shirley Temple, Lionel Barrymore, Evelyn Venable, John Lovege, Sidney Blackmer. La hija de un iracundo coronel sudista, el cual no ha perdonado aún la derrota confederada, se casa con un yanqui, provocando así la ira de su padre. Este promete no ver a su hija mientras viva.

Domingo, 19 de enero

ESTRENOS TV. «Llamada al peligro». Guión: Laurence Heath. Dirección: Tom Grios. Intérpretes: Peter Graves, Diana Muldaur, John Anderson, Rey Jonson, Tina Louise. Un gangster, que se ha decidido a declarar contra el Sindicato es raptado en una operación perfecta por sus antiguos compañeros. Nanfield, inspector del Departamento de Justicia, intentará sacarle de la fortaleza donde le tiene preso.

LUNES 13 ENERO
PRIMERA CADENA

13,45	Carta de ajuste
14,00	Programa regional simultáneo. Desde nuestro centros de Madrid, Barcelona, Sevilla, Valencia, Bilbao, Santiago de Compostela y Oviedo.
14,13	Apertura y presentación
14,15	Hoy 14,15. Revista informativa.
15,00	Telediario. Primera edición.
15,30	Tele-Revista. Arte y Cultura.
16,00	La hoja de arce. «El canadiense». Intérpretes: Gilles Renaud, Marcella Saint-Amant. Francoise Bellerose, miembro de una de las expediciones de Jacques Cartier en Kanata, es herido por dos flechas. Los franceses se alejan en la chalupa y él entra lentamente en la inconsciencia.
17,00	Despedida y cierre
18,45	Carta de ajuste
19,00	Apertura y presentación
19,01	Avance informativo
19,05	Un globo, dos globos, tres globos
20,00	Pulso de la fe
20,30	Estudio Estadio. Actualidad deportiva.
21,00	Telediario. Segunda edición.
2-1,30	El teatro. «Usted tiene ojos de mujer fatal», de Enrique Jardiel Poncela. Intérpretes: OSHIDORI: Ismael Merlo; SERGIO: José Martín; ELENA: M.ª Luisa San José.
23,25	Ultimas noticias
23,30	Reflexión
23,35	Despedida y cierre

UHF UHF UHF UHF

19,30	Carta de ajuste
20,00	Presentación y avances
20,01	Primera secuencia. «El doblaje».
20,15	Perfiles y siluetas. «Jesucristo Superstar».
20,30	Walter Brennan
21,30	Noticias en la segunda
22,00	Ciclo «Nicholas Ray». «Nacida para el mal».
23,30	Despedida y cierre

Anote:

realización   estrenos TV
intérpretes   despedida y cierre
primera sesión   telediario

Situación

La contaminación

Juanito: —¡Mira, mira qué animal tan grandote!

Luisito: —Es un elefante. ¿No lo habías visto nunca? Es el animal más grande del parque. Después iremos a ver el hipopótamo. Verás qué bocaza tiene.

Juanito: —Allí está el león. Está paseando. Oye, ¿se come a los niños pequeñitos?

Luisito: —Pues claro. Lo mismo que el tigre o el leopardo, o la pantera.

Juanito: —¿Y crees que se comería también a una mujerona como ésa?

Luisito: —Sí… Pero calla, que te oye. Vamos a ver los osos. Me gusta verlos. Siempre les traigo caramelos y, si no me ve el guarda, se los echo.

Guarda: —¡Oye, chiquillo! ¡No se puede echar nada a los osos! ¿No has leído el cartel?

Juanito: —Vamos al acuario. Está lleno de peces y de cocodrilos. Dan miedo, ya verás.

Luisito: —Juanito, Juanito, ¿qué es esto? ¡Qué animales tan chiquitines! ¡Y son de colores…!

Juanito: —¡Bah! Son pececillos. Y no valen para nada. Vamos fuera. Ya estoy harto de ver animales. ¡Mira qué perrazo! Quiero tocarlo.

(¡Guau, guau!)

Luisito: —¡Corre, corre, que nos m u e r d e! ¡Mamaíta, mamaíta!

Juanito: —Miedoso. ¡Si no hace nada!

La oveja da lana.

El burro rebuzna.

El lobo es feroz.

El gato maúlla.

La vaca da leche.

El perro ladra.

El caballo es veloz.

El león ruge.

La gallina pone huevos.

El gallo canta.

Comprensión

I. Responda según el diálogo:

1. ¿Qué hacen Juanito y Luisito?
2. ¿Cómo es el animal que ve Juanito?
3. ¿Qué animales pueden comerse a los niños?
4. ¿Qué hace Luisito cuando no lo ve el guarda?
5. ¿Qué le ocurre hoy?
6. ¿Ven algo especial en el acuario?
7. Juanito se cansa de visitar el zoo. ¿Por qué?
8. ¿Qué les ocurre al salir del parque?

II. Complete:

1. .... ladra si te acercas demasiado a él.
2. .... maúlla cuando tiene hambre.
3. .... gordas dan más leche que .... delgadas.
4. .... es el animal más grande del parque.
5. Este .... rebuzna cada diez minutos.
6. .... son muy veloces.
7. Tenemos una .... que pone muchos huevos.
8. Todas las mañanas me despierto cuando .... canta.
9. Es un ....; es un animal feroz.
10. Es un .... Mira qué bocaza tiene.

III. Hable sobre:

1. Un animal que te guste mucho y di por qué.
2. ¿Consideras que las corridas de toros son un deporte?
3. En la naturaleza «los peces gordos se comen a los pequeños».

Aprenda

I. AUMENTATIVOS

-ÓN/-A:	*grandón*
-OTE/A:	*guapote*
-AZO/A:	*buenazo*

¡Qué perr**azo**!

Con estas terminaciones se forman los aumentativos: generalmente denotan *gran tamaño o intensidad*; también pueden implicar *idea de menosprecio, burla, repulsa*, etc.

II. DIMINUTIVOS

-ITO/A:	*pequeñito*
-ILLO/A:	*chiquillo*
-UELO/A:	*pilluelo*
-ÍN/-A:	*chiquitín*
-AJO/A:	*pequeñajo*
-EZNO/A:	*lobezno*

Es un pill**uelo**

¡Qué chiquit**ín**!

Con estas terminaciones se forman los diminutivos: generalmente suelen denotar *pequeño tamaño o intensidad*; también pueden indicar *aprecio, desprecio, ironía...*

Nota: joven → jovencito

león → leoncito

Practique

I. *Forme aumentativos con las palabras en cursiva:*

1. Es un *bueno*.   —......................................
2. ¡Es un animal tan *grande*!   —......................................
3. Es un *caballo* enorme.   —......................................
4. Está hecho un *muchacho*.   —......................................
5. ¡Que *guapa* estás hoy, María!   —......................................
6. ¡Qué *mujeres*!   —......................................
7. ¡Vaya *perro*!   —......................................
8. Verá qué *boca* tiene.   —......................................
9. ¡Qué *amigos* tiene tu hermano!   —......................................
10. Jamás había visto un *hombre* así.   —......................................

ES AÚN MUY JOVENCITO

II. *Forme diminutivos con las palabras en cursiva:*

1. El niño duerme en su *cama*.   —......................................
2. Era el más *pequeño* de la clase.   —......................................
3. ¡Qué *pillo* es este niño!   —......................................
4. ¡No seas *tonto*!   —......................................
5. Estaba muy *asustado*.   —......................................
6. La fiesta fue un poco *aburrida*.   —......................................
7. Hemos comprado un *gato* para el niño.   —......................................
8. Ayer vi un *lobo* en el parque.   —......................................
9. ¡Qué *chica* tan simpática!   —......................................
10. ¡Mira qué *peces* tan bonitos!   —......................................

B Nº 40355

PARQUE ZOOLOGICO

Billete combinado

BARCELONA

El presente billete combinado da derecho a la entrada al recinto general del Zoo y a las instalaciones interiores solamente por una vez.

La entrada a las instalaciones interiores podrá efectuarse el mismo día o en otra visita.

50 ptas.

AQUARAMA	AVIARIO	TERRARIO	ANTROPOIDES

Anote:

EN EL AQUARAMA

delfín
salmón
trucha
nutria

EN EL AVIARIO

loro
búho
águila
canario

EN EL TERRARIO

tortuga
serpiente
cocodrilos
lagartos

ENTRE LOS ANTROPOIDES

orangután
gorila
chimpancé
mono

Segovia: Alcázar.

6 | *Llegué cuando salías*

Ordenanza.—¿Jura usted decir la verdad, toda la verdad y nada más que la verdad?

Acusado.—Sí, lo juro.

Fiscal.—¿Dónde estaba usted la noche del 21 de octubre de 1969, cuando se cometió el robo en la joyería «La Perla»?

Acusado.—En casa. Mi mujer había salido de viaje y estaba solo.

Fiscal.—Así, pues, ¿estaba usted a las doce de la noche de ese mismo día viendo la televisión?

Acusado.—Así es.

Fiscal.—Sin embargo, los vecinos no vieron ninguna luz encendida en toda la noche.

Acusado.—Probablemente porque las cortinas estaban corridas. Suelo correrlas con frecuencia.

Fiscal.—Tampoco oyó usted al señor de enfrente cuando llamó a su puerta para pedirle un favor.

Acusado.—A esas horas de la noche no acostumbro a abrir la puerta.

Fiscal.—Su mujer, por el contrario, sí suele hacerlo, puesto que varias amigas van a visitarla a esas horas.

Acusado.—Mi mujer sí lo hace, pero yo no.

Fiscal.—El acusado estaba en casa. Pero, señor Juez, oigamos al otro testigo, el último: la esposa del acusado.

   ¿A qué hora llegó usted a casa la noche del 21 de octubre de 1969?

Esposa.—A las diez y media de la noche.

Fiscal.—¿Suele usted llegar a esa hora cuando va de viaje?

Esposa.—No. Pero aquel día arreglé todos los asuntos y cogí otro tren.

Fiscal.—¿Y encontró usted a alguien en casa?

Esposa.—No, señor.

Fiscal.—¿Suele estar en casa su marido a esa hora?

Esposa.—Depende... Ese día llegó tarde. Yo incluso estaba preocupada.

Fiscal.—Eso es todo. Muchas gracias. Señor Juez, he terminado.

Ampliación

El fiscal acusa.

El abogado defiende.

El juez dicta sentencia.

El jurado delibera.

Los testigos declaran.

El acusado presta juramento.

La policía detiene al culpable.

El detective investiga.

El culpable es encarcelado.

El inocente queda libre.

Comprensión

I. *Responda según el diálogo:*

1. ¿Dónde estaba el acusado la noche en que se cometió el robo?
2. ¿A dónde había ido su esposa, según él?
3. ¿Qué hacía el acusado con la luz apagada a esas horas de la noche?
4. ¿Por qué no abrió la puerta al vecino?
5. ¿Hace la misma declaración la mujer del acusado?
6. ¿Por qué ese día llegó a casa tan pronto la esposa del acusado?
7. ¿Encontró a su marido viendo la televisión?
8. ¿Es verdadera la declaración del acusado?

II. *Complete:*

1. El detective .... sobre el robo.
2. La policía .... al culpable en su propia casa.
3. El acusado no .... la verdad.
4. El fiscal .... a uno de los dos hermanos.
5. El juez .... sentencia después de media hora.
6. El jurado .... durante toda la tarde.
7. Los testigos .... juramento.
8. El abogado .... al acusado.
9. El juez .... al inocente.
10. Los culpables ....

III. *Hable sobre:*

1. Eres culpable de un robo: defiéndete.
2. La pena de muerte es inhumana. ¿Por qué?
3. Las leyes son poco severas.

CUANDO **COMÍAMOS**

LLEGÓ Juan

El Imperfecto se refiere a una acción realizada en el pasado.

El Indefinido hace referencia a una acción realizada en un punto determinado del pasado.

Ejemplos:

Siempre **LLEGABA** tarde	Ayer **LLEGÓ** tarde
A menudo **ESTABA** en casa	**ESTUVE** en casa hasta las cuatro
DECÍA que era posible	**DIJO** que no era posible
Nunca **SE OPONÍA** a nada	Nunca **SE OPUSO** a nada

Practique

I. *Complete, usando el pretérito indefinido:*

Cuando comíamos, llegó Juan.

1. Mientras hablaba el abogado, ...
2. Cuando veía la televisión, ...
3. Mientras estaba de viaje, ...
4. Como el acusado estaba en casa, ...
5. Mientras el jurado deliberaba, ...
6. En el momento en que salías, ...
7. Cuando el juez dictaba la sentencia, ...
8. Mientras se cometía el asesinato, ...
9. Cuando escuchábamos al testigo, ...
10. Como el juicio se prolongaba, ...

Mientras **ME DUCHABA SONÓ** el teléfono

II.

Llega Juan/comemos. .—**Llegó Juan cuando comíamos.**

1. *Regreso a la ciudad/oscurece.* .—..
2. *Llega al teatro/se agotan las entradas.* .—..
3. *Mi marido llega a casa/duermo.* .—..
4. *Salen de casa/se comete el robo.* .—..
5. *Nos da la noticia/desayunamos.* .—..
6. *Oímos el gallo/amanece.* .—..
7. *Llegas a la playa/se oculta el sol.* .—..
8. *Saluda a su amigo/se marcha.* .—..
9. *Entráis en el cine/comienza la película.* .—..
10. *Llega el médico/ya está muerto.* .—..

Fonética

CONTRASTE [g] - [x]

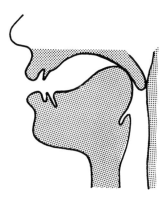 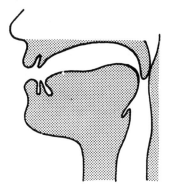

Articulación de [g]   Articulación de [x]

[g] Consonante velar oclusiva so-   [x] Velar fricativa sorda.
     nora.

Ejercicios prácticos:

gallo	ca**j**a
ganar	hi**j**o
gasolina	**g**eneral
guardia	**j**efe
gan**g**a	**j**abón
ten**g**o	**j**uicio
lan**g**osta	cole**g**io

Lo que Vd. debe saber

Control de entrada de extranjeros

DIRECCION GENERAL DE SEGURIDAD

Extranjeros Entrada

APELLIDOS: ....

NOMBRE: .... , de .... años,

de nacionalidad ....

con pasaporte núm. .... , que entró en España

por .... el ...... de .... de 19 ....

ha llegado a esta localidad en el día de la fecha procedente

de ....

y hospedándose en ....

calle de .... núm. ....

.... de .... de 19 ....

Imp. de la D. G. de S.—M. 2-A

Firma del encargado del Hotel
o huésped particular,

Sello de la
Comisaría de
Policía receptora.

Nº 588562

Anote:

Dirección General de Seguridad
localidad
día de la fecha
procedente
hospedándose

Torre de control.—El cohete acaba de ponerse en marcha. Estén preparados. Dentro de algunos segundos comenzará a ascender.

Astronauta 1.º—A bordo todo va bien. Los controles están en orden. En estos momentos el cohete se está elevando. El lanzamiento ha sido un éxito.

Torre de control.—Torre de control llamando a astronave. Distancia, diez kilómetros. Comprueben el combustible.

Astronauta 1.º—Estoy comprobándolo. La aguja señala que el combustible está en condiciones óptimas. Desde la cabina estoy viendo vuestro centro de control. La vista es maravillosa.

Astronauta 2.º—Esto es más interesante que los ensayos que realizábamos en tierra. ¿Estamos saliendo ya de la órbita terrestre?

Astronauta 1.º—Todavía no. La gravedad es aún muy fuerte. Ha de dispararse el segundo proyectil. ¡Atención! Se va a encender el segundo motor. ¿Estás bien?

Astronauta 2.º—Estupendamente. Estoy comprobando la potencia de la nave. Cuando estábamos en tierra no estaba tan emocionado. ¿Estamos ya en el espacio?

Torre de control.—La nave está situada a quinientos kilómetros de nosotros. Les estamos viendo a través de nuestras pantallas de televisión. Tengan cuidado al moverse. Están fuera del campo de gravedad de la Tierra.

Astronauta 1.º—Voy a realizar una maniobra de corrección.

Astronauta 2.º—Adelante. Calcularé el nuevo rumbo.

Torre de control.—Es la hora de cenar. Les deseamos buen apetito.

Astronautas.—Gracias.

Torre de control.—No olviden que a las ocho y media deberán descansar. Mientras tanto, nosotros guiaremos la nave.

Ampliación

Observando por el telescopio.

Arreglando la cápsula espacial.

Utilizando la cámara de televisión.

Guiando un satélite artificial.

Lanzando el cohete desde la rampa.

Aterrizando en el aeropuerto.

Siguiendo el alunizaje desde control.

Comprobando el cuadro de mandos.

Presenciando el despegue.

Empezando la cuenta atrás.

Comprensión

I. *Responda según el diálogo:*

1. ¿Desde dónde se anuncia el lanzamiento del cohete?
2. ¿Cómo se comunican los astronautas con la Tierra?
3. ¿Qué ven los astronautas desde la cabina?
4. ¿Está el combustible en buenas condiciones?
5. ¿Cuándo saldrán de la órbita terrestre?
6. ¿Qué hacen los astronautas cuando se enciende el segundo motor?
7. ¿Ocurría lo mismo cuando hacían los ensayos?
8. ¿Realizan alguna maniobra dentro de la nave?

II. *Construya frases utilizando los verbos siguientes:*

1. aterrizar .—..
2. alunizar .—..
3. calcular .—..
4. tripular .—..
5. realizar .—..
6. comprobar .—..
7. lanzar .—..
8. disparar .—..
9. guiar .—..
10. viajar .—..

III. *Hable sobre:*

1. Los viajes a la Luna son un despilfarro de dinero.
2. Han llegado a la Tierra seres de otro planeta: ¿qué les dirías?
3. Eres un astronauta y estás en una cápsula: describe tus impresiones.

I.

Trabajo en esta fábrica
(habitualmente)

Estoy trabajando en la fábrica
(en este momento)

II.

PASADO	PRESENTE
a) estaba jugando	
⟶	juego
b) estuve jugando	

La expresión de una acción que se está realizando puede expresarse también en tiempo pasado:

a) Se hace referencia a una acción que se realizó en el pasado.

b) Se hace referencia a una acción del pasado y que se realizó en un momento determinado del mismo.

III.

Algunos verbos como *seguir, continuar* se asemejan al uso de ESTAR + gerundio en su significado:

Ejemplos: **sigo comiendo**
continúo trabajando

IV.

Llevo zapatos nuevos		Estoy llevando zapatos nuevos
Lleva corbata azul	*PERO NO*	Está llevando corbata azul
Tengo sed		Estoy teniendo sed

Practique

I.

El cohete se eleva.   **—El cohete se está elevando.**

1. Comprueban el combustible.   —*están comprobando*
2. ¿Descansasteis mucho tiempo?   —*estuváis descansando*
3. Los vemos a través de las pantallas.   —*los estamos viendo*
4. Los técnicos calculan un nuevo rumbo.   —*están calculando*
5. Nos movemos en el espacio.   —*nos estamos moviendo*
6. Realizáis una maniobra de corrección.   —*estáis realizando*
7. Arreglaba solo sus asuntos.   —*estaba arreglando*
8. ¿Ascendemos a mucha velocidad?   —*estamos ascendiendo*
9. Salimos de la órbita terrestre.   —*estamos saliendo*
10. La gente presenciaba el despegue.   —*estaba presenciando*

Te **ESTUVIMOS ESPERANDO** todo el día

II. *Utilice «estaba» y/o «estuve» + gerundio:*

1. *(comprobar)* el cuadro de mandos durante   —.................................
   media hora.
2. Cuando llegamos, el cohete *(elevarse)*.   —.................................
3. Todos *(ver)* el alunizaje por televisión.   —.................................
4. Cuando los vimos *(cenar)*.   —.................................
5. *(descansar)* durante todo el día.   —.................................
6. Cuando nos hablaste *(calcular)* la velocidad.   —.................................
7. La nave *(salir)* ya de la órbita terrestre.   —.................................
8. Mientras ascendían *(controlar)* la nave.   —-.................................
9. *(seguir)* durante dos horas el rumbo del satélite.   —.................................
10. *(viajar)* por el espacio durante cinco días.   —.................................

Uso de los dos puntos (:)

Se emplean los dos puntos:

1. *Después del encabezamiento de las cartas:*

   Distinguido Sr.: Le ruego disculpe...

2. *Antes de citar las palabras textuales de un autor o personaje:*

   Dice Jorge Manrique: «Nuestras vidas son los ríos...»

3. *Después de las expresiones:* «*por ejemplo*», «*es decir*», «*verbi-gracia*», «*son las siguientes*», etc.:

   Se escribirán con mayúscula todos los nombres propios, *por ejemplo:* Madrid, Antonio, Quevedo, ...

EJERCICIO PRÁCTICO.—*Escriba varias frases empleando los dos puntos en cada una de ellas:*

Lo que Vd. debe saber

Información meteorológica

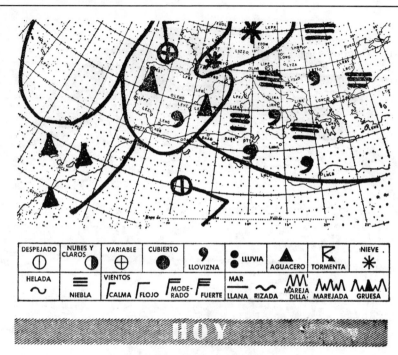

DESPEJADO	NUBES Y CLAROS	VARIABLE	CUBIERTO		LLUVIA	AGUACERO	TORMENTA	NIEVE
⊕	◑	⊕	●	𝟿 LLOVIZNA	𝟾	▲	R	✳

HELADA	NIEBLA	VIENTOS CALMA	FLOJO	MODE-RADO	FUERTE	MAR LLANA	RIZADA	MAREJA DILLA	MAREJADA	GRUESA
∼	≡	⌐	⌐	⌐	F	—	∼	ℳ	ℳℳ	ℳℳ

HOY

Retroceso en la estabilidad

La estabilidad crece, aunque con regresiones. Mejorará el nivel de temperaturas máximas, se mantendrán las mínimas y no habrá una franca desaparición de la nubosidad. Se darán algunos chaparrones en las zonas medias y bajas de la región y algunas nevadas en las cotas del Pirineo, temperaturas y nevadas fuera de lo normal de la época.

CARIZ MARITIMO. — Areas de mar gruesa en el golfo de León, cediendo durante la noche, hasta marejada con vientos del Noroeste hasta de 25 nudos. En el mar balear de Menorca, áreas de marejada y Noroeste de 20 nudos, con rachas algo más fuertes y con contrastes al Sudoeste. En las aguas someras de Cataluña, mar dominante de marejadilla en alta mar y áreas de mar rizada en las costas, creciendo algo durante la rafagosidad al Levante.

FIN DE SEMANA
Variable

Tiempo variable, con el único signo claro de una subida general de las temperaturas diurnas, mantenimiento de las mínimas y medias más altas, aunque todavía inferiores a las medias normales. Claros muy variables. En algunas comarcas, chubascos dispersos de rápida desaparición, más duraderos en el mar del Mediterráneo. En el Pirineo, nuevas y cortas nevadas, algunas seguidas de ventiscas, pero con espesores en el suelo ligeramente crecientes.

Anote:

despejado	*cubierto*	*lluvia*
helada	*niebla*	*calma*

ALMACENES EL GRANERO
¡ASOMBRESE! ESTAMOS EN EL OTOÑO DE LOS PRECIOS

OFERTA HOY · VAYA AL DIA · LIQUIDACION GIGANTE · REBAJAS · GANGAS

Si desea usted saber la hora, compre un reloj; si desea un reloj, compre un reloj «Tic-Tac».

Ana.—Éste es el regalo que debes comprarle a tu novio: un reloj «Tic-Tac».

Mercedes.—No está mal. Pero no me convence. Ya tiene uno y le va muy bien. Vamos a otra sección.

Ana.—Mira, lee aquello: *Su dinero está seguro con carteras «Ares».* Puedes regalarle una cartera de piel de cocodrilo.

Mercedes.—Señorita, por favor. ¿Podría enseñarnos las carteras de bolsillo?

Dependienta.—Mire, ésta es una cartera muy original; está muy bien de precio: mil doscientas pesetas. Esta otra es de piel de cabra: mil quinientas pesetas. Aquélla también es muy bonita y está de rebaja: solamente ochocientas treinta y cinco pesetas.

Mercedes.—¿Tiene otros artículos de regalo?

Dependienta.—Vaya usted al mostrador de enfrente, por favor.

Ana.—«*Sea usted distinto. Los cinturones BRÍO están hechos a su medida.*»

Mercedes.—Es una buena idea. Mi novio acaba de estrenar un traje y necesita un cinturón.

Dependienta.—¿Qué desea usted, señorita?

Mercedes.—Un cinturón.

Dependienta.—¿Cuál es la medida de su cintura?

Mercedes.—No es para mí; es para mi novio.

Dependienta.—¿Y sabe la medida de su novio?

Mercedes.—Exactamente, no. Pero sé que sus pantalones son de la talla cuarenta.

Dependienta.—Entonces éste le irá bien.

Mercedes.—¿Cuánto es?

Dependienta.—Son seiscientas pesetas. Pase usted por caja, por favor.

Ana (al salir).—«Almacenes «EL GRANERO». Estamos en el otoño de los precios.» ¡Bonito lema!

Mercedes.—Sí; eso es la publicidad...

Ampliación

Venta a plazos.

Trajes a medida.

Los precios bajan.

¡Es una ganga!

Saldos de invierno.

Liquidación total de existencias.

Precios de ocasión.

Máximos descuentos.

Facilidades de pago.

Pagos al contado y en efectivo.

Comprensión

I. *Responda según el diálogo:*

1. ¿Por qué dice Ana a su amiga que compre un reloj «TIC-TAC»?
2. ¿Quiere comprar Mercedes un reloj para su novio?
3. ¿Son muy caras las carteras de piel?
4. ¿Para qué necesita el novio de Mercedes un cinturón?
5. ¿Qué pregunta la dependienta a Mercedes?
6. ¿Cómo solucionan el problema?
7. ¿Hay carteras de varias clases?
8. ¿Le gustan a Ana los anuncios publicitarios?

II. *Forme frases usando los términos más adecuados de cada columna:*

1. Precios	Hacer	.—...
2. Facilidades	Subir	.—...
3. Descuentos	Bajar	.—...
4. Traje	Pagar	.—...
5. Saldos	Vender	.—...
6. Existencias	Cobrar	.—...
7. En efectivo	Estrenar	.—...
8. Al contado	Aumentar	.—...
9. Ventas	Comprar	.—...
10. Rebajas	Dar	.—...

III. *Hable sobre:*

1. Desea comprar un piso a plazos: pide información a una agencia.
2. La firma que no anuncia, no vende.
3. Haga dos anuncios publicitarios.

Aprenda

I.

SER	ESTAR
Denota características *inherentes* al sujeto.	Denota características *accidentales* o *adquiridas*.
Ejemplos:	*Ejemplos:*
La mesa ES de madera	El libro ESTÁ en el suelo
El niño ES bueno	El niño ESTÁ bien
Pedro ES rico	Pedro ESTÁ enfermo

II. *Algunas expresiones con SER y ESTAR*

Es decir...

Es el uno para el otro

Es de lo que no hay

Es de esperar que venga

Es igual

Estar de buenas

Estar mano sobre mano

Estar de broma

Ya **estoy** en ello

Estamos listos

III. *Explique la diferencia entre:*

El niño **es** bueno

¿**Es** él?

Luis **es** muy amable

El niño **está** bueno

¿**Está** él?

Hoy Luis **está** muy amable

Practique

I. **I.** Use «ser» o «estar», según convenga:

1. Mesa/madera. .—..
2. Libros/en el suelo. .—..
3. Trajes/hechos a medida. .—..
4. El coche/mal aparcado. .—..
5. Las zanahorias/caras. .—..
6. El profesor/muy amable. .—..
7. El director/de buenas. .—..
8. Mi amiga/poco afortunada. .—..
9. Pedro y Teresa/en Canarias. .—..
10. Todo/en orden. .—..

Hoy **ES** viernes y el jefe no **ESTÁ** en la oficina

II. Complete con «ser» o «estar»:

1. .... toda la mañana en la comisaría.
2. El jefe .... hoy de viaje.
3. Todos los hombres .... iguales.
4. ¡Qué guapa .... hoy, Susana!
5. Tu coche no ...... tan bueno como el mío.
6. La señora .... en el mercado.
7. Dame la carta que .... sobre la mesa.
8. ¡Esto ...... una ganga!
9. El petróleo ...... una fuente de energía.
10. .... a 15 de agosto de 1975.

Entonación

FRASES PARENTÉTICAS

Lo que dices   —repitió Luis—   es mentira

Ejercicios prácticos:

1. Cuando vengas —dijo Carlos— te daré un regalo.

2. Esta lección —afirmó un alumno— es demasiado difícil.

3. Dime con quién andas —dice el refrán— y te diré quién eres.

4. A mayor demanda —dijo el ingeniero—, mayor precio.

5. Cuando se acabe el petróleo —dicen los técnicos— dispondremos de otros medios de energía.

6. Si sois buenos —dijo la madre— os compraré un helado.

7. Aquella palabra —supermercado— no está en la lección.

8. El próximo día —repitió el profesor— estudiaremos matemáticas.

Anuncios publicitarios (ofertas de productos)

ANALICE uno de estos anuncios.

En el siglo XXI las ciudades no serán como en la actualidad; habrán cambiado muchas cosas; quizá no se parecerán en nada a las que tenemos ahora.

Grandes autopistas cruzarán el centro y nos será posible estar en la periferia en menos de diez minutos. Por las calles céntricas apenas si circularán turismos. Habrá más islas de peatones.

El aire que respiremos tampoco será el mismo: la ausencia de coches y los grandes espacios destinados a parques, harán que la atmósfera no esté tan polucionada como la de nuestro siglo.

En cualquier día laborable o festivo cientos y miles de personas utilizarán los rápidos y confortables transportes urbanos, que serán subterráneos.

El horario de oficinas no será como el actual: la jornada intensiva se habrá generalizado y todos dispondrán de más tiempo libre para dedicarlo al ocio, al descanso y a sus aficiones particulares.

El peatón circulará por las aceras igual que hoy día; pero en vez de caminar sobre un suelo de baldosas, caminará sobre una cinta móvil que le permitirá desplazarse por el exterior con rapidez y comodidad.

Las viviendas estarán acondicionadas tanto para preservarnos del frío como para defendernos del calor excesivo. Y nuestros hijos dispondrán de parques y jardines para jugar con sus amigos y divertirse a sus anchas.

Vivir en una ciudad no será ya un tormento, sino un placer.

Monumento a Colón.

Avenida de la Paz.

Plaza del Ayuntamiento.

Catedral de León.

Barrio de Santa Fe.

Distrito IV.

Parque de Atracciones.

Fuente luminosa.

Servicio de autobuses.

Estación de Metro.

Comprensión

I. *Responda según el diálogo:*

1. ¿Cómo viviremos en el siglo XXI?
2. ¿Serán las ciudades iguales que las de hoy día?
3. ¿Estará resuelto el problema de la circulación?
4. ¿Qué ocurrirá en el centro de las grandes ciudades?
5. ¿Cómo serán los transportes urbanos?
6. ¿Cómo estará distribuido nuestro tiempo?
7. ¿Qué ventajas tendrán los peatones?
8. ¿Será un problema vivir en la ciudad?

II. *Construya una frase con cada una de las siguientes palabras:*

1. Catedral .—..
2. Jornada .—..
3. Distrito .—..
4. Monumento .—..
5. Parque .—..
6. Avenida .—..
7. Travesía .—..
8. Oficina .—..
9. Fuente .—..
10. Bocacalle .—..

III. *Hable sobre:*

1. Cuenta cómo vives en la ciudad.
2. Un amigo tuyo va a vivir al campo. ¿Qué le aconsejarás?
3. ¿Prefieres la ciudad o el campo? ¿Por qué?

Aprenda

I.

(a) Hago **LO MISMO** que tú

Me gusta **EL MISMO** libro que a ti

(b) Es **IGUAL** que su hermano

Estas plumas son **IGUALES** que las mías

(c) Llegaron **MENOS** de los que esperábamos

Hay **MÁS** alumnos de los que empezaron el curso

Las comparaciones (a) y (b) establecen identidad entre las dos cosas comparadas.

II.

María **NO** tiene **MÁS QUE** dos libros = Sólo tiene dos libros

NO tenemos **MÁS QUE** mil pesetas = Sólo tenemos mil pesetas

---

III.

Bueno ⟶ Buen-**ÍSIMO**

Difícil ⟶ Dificil-**ÍSIMO**

Con la terminación **-ÍSIMO** se obtiene la forma del *SUPERLATIVO*.

Practique

I.

María y Elena, ¿tienen el mismo vestido? .—**Sí, Elena tiene el mismo vestido que María.**

1. Pedro y Juan, ¿viven en el mismo piso? .—..................................
2. Carmen y tú, ¿cogéis el mismo autobús? .—..................................
3. Antonio y Teresa, ¿usan el mismo coche? .—..................................
4. Isabel y Carlos, ¿van a la misma peluquería? .—..................................
5. José y yo, ¿tenemos el mismo horario? .—..................................
6. Bárbara y Klaus, ¿hablan el mismo idioma? .—..................................
7. Santiago y tú, ¿estáis haciendo el mismo curso? .—..................................
8. Ellas y yo, ¿disponemos del mismo tiempo libre? .—..................................
9. Miguel y Marta, ¿cenan siempre en el mismo restaurante? .—..................................
10. Tú y yo, ¿llevamos el mismo equipaje? .—..................................

Tiene **MÁS** dinero **DE LO QUE** cree.

II.

Sólo tenemos mil pesetas. .—**No tenemos más que mil pesetas.**

1. Sólo trabajamos por las mañanas. .—..................................
2. Solamente disponen de dos horas libres. .—..................................
3. Descansáis sólo los fines de semana. .—..................................
4. Visitarán solamente a nuestros amigos. .—..................................
5. Únicamente viajas en metro. .—..................................
6. Sólo estaban allí Carmen y Teresa. .—..................................
7. Llegasteis solamente hasta Barcelona. .—..................................
8. Sólo conozco la catedral de León. .—..................................
9. Únicamente está abierto el parque de atracciones. .—..................................
10. Solamente cené una ensalada. .—..................................

Ortografía

Casos especiales de acentuación: LAS PARTÍCULAS INTERROGATIVAS Y EXCLAMATIVAS.

Que, cual, quien, cuanto, cuanta, como, cuando, donde llevan acento en frases exclamativas o interrogativas:

> ¡*Qué* bonito!
>
> ¿*Qué* quieres?
>
> ¿*Cuántos* años tienes?
>
> ¡*Quién* lo iba a pensar!
>
> ¿*Cómo* te llamas?
>
> etc.

EJERCICIO PRÁCTICO.—*Ponga los acentos que sean necesarios:*

—¡Que cansada estoy! ¡Que mañana tan aburrida!

—¿Que hiciste?

—Me entrevistaron en una oficina. ¡Cuantas preguntas!

—¿Has encontrado trabajo?

—No lo se. Me lo diran mañana. Pero creo que no. No le guste al señor que me entrevisto.

—¿Por que dices eso? ¿Como lo sabes?

—Las entrevistas me cansan. No pense en lo que decia.

—No te preocupes. Ya habra otra ocasion mejor.

—Lo dudo.

—¡Que pesimista eres!

Lo que Vd. debe saber

Plano del Metro

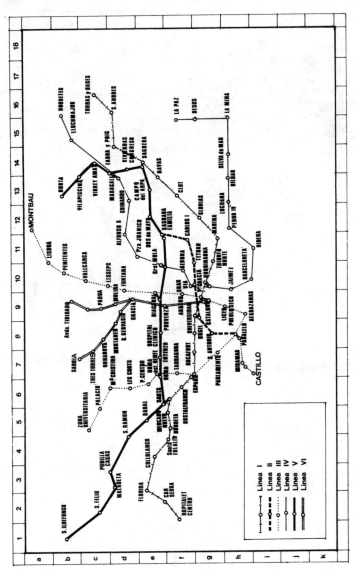

EJERCICIO: Indique a su compañero qué debe hacer para ir:

—de ATARAZANAS a HORTA.

—de ZONA UNIVERSITARIA a CATALUÑA.

(Luis y Marta están sentados tomando una copa de champán y esperando que comience el espectáculo.)

Luis: —Ya comienzan a apagar las luces. No tardarán en empezar.

Marta: —Sí; las parejas también despejan la pista de baile. Mira, ahí está el presentador. Parece simpático.

Luis: —Y se desenvuelve con soltura.

Marta: —Estoy impaciente por ver el número de la «danza mágica». Mi amiga me ha dicho que es el mejor. Me encanta el ballet clásico.

Luis: —Pues a mí me gustan los payasos. Los chistes me distraen y las personas que hacen reír siempre me caen bien.

Marta: —¡Qué superficial eres! El arte está en la danza, en el dominio perfecto de los movimientos al compás de la música... Oye, este champán es excelente. ¿Puedo pedir otra copa, Luis?

Luis: —Como quieras. Pero en la entrada sólo está incluida una consumición. Si quieres otra copa, tendremos que pagarla. ¡Camarero! ¡Otra copa! ¡Y bien fría, por favor!

Marta: —Fíjate. Acaban de levantar el telón. Es un decorado fenomenal. ¡Qué bien se ve desde aquí! Hemos tenido suerte. Ya salen las bailarinas. ¡Y es la música de la «danza mágica»!

Luis: —Parece un buen comienzo. Me da la impresión de que también me gustará a mí. Desde luego, es mejor que la función del jueves pasado en el teatro «Los Corrales».

Marta: —El vestuario es elegantísimo. Las bailarinas parecen sombras mágicas.

Luis: —Si sigues hablando, te perderás el espectáculo.

Marta: —¿Te das cuenta cómo baila la protagonista?

Luis: —Sí. Pero ya se acaba el número. Hablas tanto...

Marta: —¡Qué pena!

Luis: —No te preocupes. Ahora saldrán los payasos a hacer el tonto y nos reiremos un rato.

Ensayamos una obra de teatro.

Hoy echan una película cómica.

El escenario es amplio.

La pantalla de cine es pequeña.

Estrenan «Yerma».

Las localidades están agotadas.

Mi asiento está en la fila 4.

Sesión continua.

Hacen cola para sacar entradas.

Película de reestreno.

Comprensión

I. Responda según el diálogo:

1. ¿Dónde están Marta y Luis?
2. ¿Para qué despejan las parejas la pista de baile?
3. ¿Por qué está Marta impaciente?
4. ¿Tiene Luis los mismos gustos que Marta?
5. ¿Por qué dice Marta que Luis es superficial?
6. ¿Qué ocurre si toman otra copa de champán?
7. ¿Por qué le gustan a Marta las bailarinas?
8. ¿Les ha gustado mucho el espectáculo?

II. Complete:

1. Las .... están ensayando el número de la «danza mágica».
2. ¿Quieres venir conmigo al ....? Echan una película cómica.
3. Dentro de unos momentos comenzará el ....
4. En el próximo número saldrán los .... y nos harán reír un rato.
5. He sacado cuatro .... para la sesión de cine de esta tarde.
6. ¿Tuviste que hacer .... para sacar las entradas?
7. No podremos ver la película. Están todas las .... agotadas.
8. Mi .... está en la fila 4.
9. No me gustó nada aquel cine; la .... era muy pequeña.
10. Es el mejor teatro de la ciudad: tiene un .... muy amplio.

III. Hable sobre:

1. Imagínese haciendo cola delante de un cine.
2. Es mejor el teatro que el cine.
3. Comente una película que haya visto.

Aprenda

I.

Preposición **DE** *(algunos significados)*

PERTENENCIA O POSESIÓN: El reloj **de** Pedro.

ASUNTO O TEMA: Hoy hablaremos **de** las Naciones Unidas.

PARTE DE UN TODO: Quiero cuatro litros **de** leche.
Quiero un poco **de** pan.

FUNCIÓN O TRABAJO: Hago **de** profesor.

PROCEDENCIA: Salgo **de** casa.

EQUIVALENTE A «por»: Era temido **de** todos.

MODO: Caí **de** espaldas; estaba **de** broma.

II.

Preposición **EN**

Vivo		París (lugar, reposo)
Está		casa » »
Está metido		líos
Habla	**en**	broma (manera o modo)
Le reconocí		el caminar » »
Llegó envuelto		una manta » »
Pienso		ti (aquello en que se ocupa alguien)
Pienso		cómo hacerlo.

Practique

I. *Una las dos partes de la frase con la preposición «de»:*

1. Salí a las ocho. .—..

2. En la tienda hablan. .—..

3. Me voy. .—..

4. Pregunte la nacionalidad. .—..

5. Al subir por la escalera, caí. .—..

6. ¿Dijo algo? .—..

7. Quiero dos litros. .—..

8. Hoy vamos a hablar. .—..

9. Bailaremos al compás. .—..

10. Es la música. .—..

Está siempre **EN** todo

II. *Utilice «en», «de» o «con», según convenga:*

1. Dormía ...... día y trabajaba ...... noche.

2. Hace dos meses que no me hablo .... mi hermana.

3. ¿Qué ocurrió ...... Barcelona el día 2 del mes pasado?

4. Mi mujer está siempre ...... todo.

5. .... la entrada sólo está incluida una consumición.

6. Le reconocí en seguida ...... el andar.

7. Este cuadro lo pondremos ...... la pared del comedor.

8. Estuve todo el día pensando ...... ti.

9. Saldremos ...... casa al atardecer.

10. Estas camisas no son mías; son ...... Pedro.

Lo que usted debe saber

Cartelera de Espectáculos

En esta sección se ofrecen las películas, en los locales donde se exhiben, reseñadas por orden alfabético y con la doble calificación moral: la estatal y la proporcionada por la Confederación Católica Nacional de Padres de Familia, que incluye la numeración: (1) Todos, incluso niños. (2) Jóvenes. (3) Mayores. (3R) Mayores, con reparos. (4) Gravemente peligrosas. En la siguiente sección, «PELICULAS» (páginas 15 a 30), se publica una relación de las mismas, con ficha técnica, así como también la doble calificación moral.

CINES DE ESTRENO

ALCAZAR Rambla de Cataluña, 37. Teléfonos 317 27 90 y 302 40 13. Metro Aragón. Autobuses 7, 16 y 17.
Tarde, 4,50; noche, 10,05. Festivos: matinal, 11; tarde, 4,30. Numeradas: 6,45 y 10,05.
HERBIE, UN VOLANTE LOCO (1). Todos los públicos.

ALEXANDRA. Rambla de Cataluña, 90. eléfono 215 05 06. Metro Provenza. Autobús, 7.
Tarde, 4; noche, 10. Festivos, matinal, 11; tarde, 4,15. Numeradas, 6,30 y 10.
LOS NUEVOS ESPAÑOLES (3R). Mayores 18 años.

LOCALES DE CINERAMA

FLORIDA CINERAMA. Floridablanca, 24. Teléfono 224 16 06. Autobuses 20 y 24.

Tarde, 6; noche, 10. Festivos, matinal, 11; tarde, 4,15. Numeradas, 6,45 y 10.

RECUERDOS DEL FUTURO Y REGRESO A A LAS ESTRELLAS (2). Tolerada.
Viernes, estreno: LA REGENTA (4). Mayores de 18 años.

NUEVO CINERAMA. Marqués del Duero, 63. Teléfono 241 38 00. Metro Pueblo Seco. Autobuses 5, 20 y 24.
Tarde, 6; noche, 10. Festivos: matinal, 10,30; tarde, 3,30. Numeradas: 6,45 y 10.
LARGA NOCHE DE JULIO (s. c.). Mayores de 18 años.

LOCALES DE VISTARAMA

REGIO PALACE. Marqués del Duero, 50. Teléfono 241 24 63. Metro Pueblo Seco. Autobuses 5, 20 y 24.
Tarde, 4,45; noche, 10,20. Festivos: matinal, 11; tarde, 4,30. Numeradas: 7 y 10,20.
AEROPUERTO 1975 (2). Todos los públicos.

CINES DE REESTRENO

A B C. Balmes, 306. Tel. 227 56 90. Autobuses 16 y 17.
Tarde, continua 4.
INFIERNO DE COBARDES (3R) y UN HOMBRE COMO LOS DEMAS (3). Mayores 18 años.

ADRIANO. Herzegovino, 2. Tel. 247 86 88. Autobuses 23 y 64.
Tarde, continua 3,40.
Lunes: MATALOS Y VUELVE (3R) y MI HI-

CINE CLUB

1900: Pujadas, 176-178 (P. N.). Tel. 309 40 34. Sesión única: 10,15 noche.
Sábado, día 5: **Ciclo Eisenstein:** IVAN EL TERRIBLE. Mayores 18 años. Presentará Xavier Ripoll.

EINA-2: Sants, 71-73. Sesión única: 10,15 noche.
Sábado, día 5: FIVE EASY PIECES (MI VIDA ES MI VIDA), de Bob Rafelson. Mayores 18 años.

Anote:

calificación moral	*estreno*
mayores, con reparos	*reestreno*
ficha técnica	*sesión continua*

Málaga: Remendando las redes.

Bárbara:	—Oiga, por favor; el tren estacionado en el andén III es el que va a Madrid, ¿verdad?
Taquillero:	—No, señorita. El tren de Madrid está estacionado en el andén I. ¿No está indicado en el tablón de anuncios?
Bárbara:	—No, señor. Lo he mirado antes de preguntar en taquilla y el tren de Madrid no está señalado.
Taquillero:	—¡Qué raro! Nunca habíamos tenido un descuido así. Pero es igual. ¿Verdad que va usted a Madrid?
Bárbara:	—No, señor. Deseo ir a Zaragoza y llegar allí lo antes posible. ¿Qué tren debo tomar?
Taquillero:	—Es mejor que utilice el rápido que está estacionado en el andén V. Para llegar hasta él no cruce las vías, utilice el paso subterráneo. Este tren tiene su salida a las 14,22. Por la noche podría coger también un expreso que sale a las 22,47, pero no sé si quedan reservas.
Bárbara:	—¿Reservas? Jamás había oído esta palabra. ¿Qué significa?
Taquillero:	—Mire, usted saca el billete con unos días de antelación y además paga su importe por adelantado, más una pequeña cantidad para tener un asiento seguro.
Bárbara:	—No lo sabía. Y debo llegar antes de la hora de partida para que nadie ocupe mi asiento, ¿no?
Taquillero:	—No es necesario. Nadie lo hará; y en el caso de que alguien lo hiciera, el revisor se encargaría de advertir a la persona que ocupase su plaza.
Bárbara:	—Otra pregunta: puedo facturar el equipaje, ¿verdad?
Taquillero:	—Sí; pero entonces debe llegar un ratito antes de la hora y dirigirse a la sección de facturación. Mientras tanto podrá usted dejarlo en consigna.
Bárbara:	—Ha sido usted muy amable. Perdone las molestias, y gracias.
Taquillero:	—De nada, señorita. Siempre a su disposición.

No asomarse por la ventanilla.

El jefe de estación da la señal de salida.

No arrojar objetos a la vía.

El tren arranca.

No estacionarse en la plataforma.

El mozo de estación lleva las maletas.

TREN	BILLETE
	Vea la diferencia entre:
Talgo	
Rápido	Un billete = (para tren, avión, autobús)
Expreso	Un pasaje = (para barco o avión)
Tren correo	Una entrada = (para circo, cine o teatro)
Tren directo	Medio billete = (a mitad de precio)
Tren tranvía	Billete reducido = (con descuento)

Comprensión

I. *Responda según el diálogo:*

1. ¿Dónde está estacionado el tren de Madrid?
2. ¿Qué ha consultado Bárbara antes de informarse en la taquilla?
3. ¿Por qué le parece raro al taquillero?
4. ¿Cómo puede llegar Bárbara a Zaragoza?
5. ¿Cómo debe llegar Bárbara al andén V?
6. ¿Qué debe hacer para tener un asiento seguro?
7. ¿Para qué va Bárbara a la sección de facturación?
8. ¿Dónde puede dejar el equipaje antes de facturarlo?

II. *Complete:*

1. Al llegar a la estación tiene que consultar el ....
2. Tengo que preguntar la hora de la .... del tren.
3. Debo pasar por la taquilla y .... el billete.
4. He de ir a la sección de facturación para .... el equipaje.
5. Tengo que llegar al andén por ....; nunca tengo que .... las vías.
6. Tengo que .... al tren y encontrar un .... libre.
7. Cuando llegue el revisor tengo que enseñar el ....
8. No debo asomarme por la ....
9. Cuando llegue a Madrid tengo que .... del tren.
10. He de recoger el .... en consigna.

III. *Hable sobre:*

1. Describa un viaje en barco.
2. El tren es más seguro y más rápido que el coche.
3. Imagínese sacando un billete para hacer un viaje en avión.

Aprenda

I.

Al final de la frase	Al principio de la frase
Vienes conmigo, ¿**VERDAD**? Vienes conmigo, ¿**NO**?	¿**VERDAD QUE** vienes conmigo?

II.

NO	canto	**MUCHO**
JAMÁS	canto	**TANTO**
NUNCA	canto	**TANTO**
NO	canto	**NUNCA**
NO	canto	**JAMÁS**
SIEMPRE	canto	**MUCHO**
NO SIEMPRE	canto	**TANTO**
CASI SIEMPRE	canto	**MUCHO**

Si ponemos las formas adverbiales **NUNCA, JAMÁS**... delante del verbo, éste no necesita negación. La frase ya es negativa.

Si las colocamos detrás, necesitamos poner delante del verbo la partícula negativa **NO**.

Practique

I. *Responda utilizando las partículas indicadas:*

1. ¿Tienes dinero?/*Nunca.* .—...

2. ¿Tienes dinero?/*No.* .—...

3. ¿Tienes dinero?/*Siempre.* .—...

4. ¿Tienes dinero? .—................................. **nunca**

5. ¿Tienes dinero?/*Jamás.* .—...

6. ¿Han traído los muebles?/*Sí, ya.* .—...

7. ¿Han traído los muebles?/*Aún no.* .—...

8. ¿Te preguntaron?/*Sí.* .—...

9. ¿Te preguntaron?/*No.* .—...

10. ¿Te preguntaron?/*No.* .—................. (nunca) ....

NUNCA supe **NADA** de esto

II. *Transforme según el modelo:*

Vienes, ¿no?	**.—¿Verdad que vienes?**

1. Comen deprisa, ¿verdad? .—.......................................

2. Os gusta mucho viajar, ¿verdad? .—.......................................

3. Éste es el tren que va a Madrid, ¿no? .—.......................................

4. Podrán facturar el equipaje, ¿verdad? .—.......................................

5. Hemos llegado demasiado tarde, ¿no? .—.......................................

6. Antes leías muchos libros, ¿verdad? .—.......................................

7. Nadie ocupará mi asiento, ¿no? .—.......................................

8. Podemos dejar las maletas en consigna, ¿no? .—.......................................

9. Sacasteis el billete, ¿verdad? .—.......................................

10. Compraron muchos regalos, ¿verdad? .—.......................................

CONTRASTE [ŷ] - [l̃]

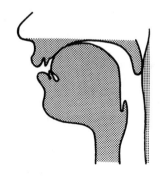

Articulación de [ŷ] palatal

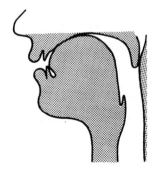

Articulación de [l̃]

[ŷ]   PALATAL AFRICADA SONORA

[l̃]   PALATAL LATERAL SONORA

Ejercicios prácticos:

poyo	pollo
cayó	calló
haya	halla
vaya	valla
royo	rollo
cayo	callo
hoyo	hollo

Lo que Vd. debe saber

Viajes en tren

Nuestros coches-camas son un pequeño paraíso de confort y tranquilidad, atendidos por un agente amable y competente.

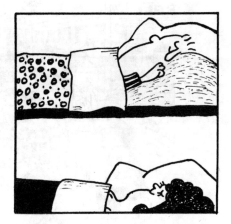

Y, ahora, ¡felices sueños! Mientras Vd. duerme, le transportamos cómodamente a su destino sin tener que preocuparse por las condiciones climatológicas del exterior.

BARCELONA · VALENCIA

Altitud	ESTACIONES	Horario
5 m.	● BARCELONA-Término	15.35
22 m.	● BARCELONA-Paseo de Gracia ..	15.44
19 m.	Sitges	16.16
15 m.	S. Vicente de Calders-Comarruga	16.35
6 m.	● TARRAGONA	16.53
3 m.	Salou	17.04
13 m.	Cambrils	17.09
8 m.	Montroig	17.19
20 m.	Ametlla del Mar	17.35
15 m.	Amposta-Aldea	17.49
10 m.	Tortosa	18.00
21 m.	Vinaroz	18.25
25 m.	Benicarló	18.31
5 m.	Oropesa del Mar	18.57
15 m.	Benicasim	19.04
38 m.	● CASTELLON DE LA PLANA ...	19.13
21 m.	Burriana	19.21
14 m.	Nules-Villavieja	19.25
13 m.	● VALENCIA-Término	20.05

Anote:

coches-cama

agente

destino

*condiciones
climatológicas*

término

altitud

instálese

Juan.—¿Qué ha ocurrido?

María.—No sé; quizás alguien haya sufrido un accidente. Se ha formado una caravana impresionante.

Juan.—¡Uff! Ya lo veo. Eso de los accidentes es una lata. Iré a ver qué sucede.

¡Oh! ¿Qué ha ocurrido? ¿Hay heridos? ¿Necesitan ayuda? Si quieren, yo mismo puedo llevar a este señor a un dispensario de urgencias. Sus heridas no parecen graves y no será necesario ni llamar a la ambulancia ni internarlo en un hospital.

Señor.—A los más graves los llevaremos a la clínica. Está más cerca que el hospital.

Herido.—Démonos prisa antes de que llegue la policía de tráfico. No quiero problemas. ¡Rápido! Me parece que oigo la sirena.

(En el coche: Juan, María y el herido.)

María.—Cuéntenos usted mismo qué pasó.

Herido.—No sé. Yo no desvié el coche, se me desvió solo; resbalaron las ruedas; iba a bastante velocidad y no quería chocar contra el camión que iba delante. Por eso di una vuelta completa al volante; pero en vez del freno, pisé el acelerador sin darme cuenta y... la vista se me nubló.

Juan.—Suerte que el coche que venía en dirección contraria no iba a gran velocidad, porque si no...

María.—Hemos llegado al dispensario. La enfermera de turno lo curará. ¡Verá qué bien le atiende!

Enfermera.—La herida no es profunda. Voy a ponerle una gasa y un esparadrapo en este pequeño corte de la ceja izquierda.

Herido.—¿Y el tobillo?

Enfermera.—No creo que esté roto. Sólo está ligeramente dislocado. Le pondré una venda.

Herido.—Tendré que dar parte al seguro rápidamente; el coche está asegurado a todo riesgo y la compañía correrá con todos los gastos.

Juan.—Eso no importa ahora. Cálmese, duerma aquí mismo en la camilla hasta que se sienta mejor.

El cirujano opera en el quirófano.

El practicante pone una inyección.

Los camilleros transportan a los heridos.

El enfermero vacuna al recluta.

El médico da de alta al enfermo.

Internan al «loco» en un manicomio.

Casa de Socorro = *el Dispensario*
Casa de Beneficencia = *el Asilo*
Casa de Maternidad = *la Maternidad*
Casa Consistorial = *el Ayuntamiento*
Casa de locos = *el Manicomio*
Casa de baños = *el Balneario*

EXPRESIONES

—Dar de baja en el trabajo.
—Dar de alta en el trabajo.

Comprensión

I. *Responda según el diálogo:*

1. ¿Por qué hay caravana en la carretera?
2. ¿A dónde llevan a los heridos menos graves?
3. ¿Cómo llevan al hospital a los heridos más graves?
4. ¿Por qué quiere marcharse rápidamente el herido del lugar del accidente?
5. ¿Cómo sucedió el accidente?
6. ¿Quién atiende al herido en el dispensario?
7. ¿Qué le ha ocurrido en el tobillo?
8. ¿Por qué está preocupado el herido?

II. *Forme una frase con cada una de las siguientes palabras o expresiones:*

1. Poner una inyección .—..
2. Cirujano .—..
3. Venda .—..
4. Pisar el acelerador .—..
5. Dispensario de urgencias .—..
6. Camillero .—..
7. Ir en dirección contraria :—..
8. Dar parte al seguro .—..
9. Dar de alta al enfermo .—..
10. Seguro a todo riesgo .—..

III. *Hable sobre:*

1. Los hospitales en su país.
2. Imagínese que se encuentra en el lugar de un accidente. ¿Qué haría?
3. La medicina debería ser gratuita.

(Yo) RESBAL**É**	(nosotros) RESBAL**AMOS**
(tú) RESBAL**ASTE**	(vosotros) RESBAL**ASTEIS**
(él) RESBAL**Ó**	(ellos) RESBAL**ARON**

En español la terminación del verbo ya indica la persona gramatical; no es, pues, necesario anteponer el pronombre personal.

II.

Empleamos el pronombre personal para dar énfasis a la persona:

YO resbalé, **TÚ** fuiste

Si se quiere dar aún mayor énfasis al sujeto, se añade la palabra «MISMO»:

YO MISMO	*NOSOTROS* MISMOS
TÚ MISMO	*VOSOTROS* MISMOS
ÉL MISMO	*ELLOS* MISMOS
ELLA MISMA	*ELLAS* MISMAS
UD. MISMO	*UDS.* MISMOS

III. *EXPRESIÓN DE INVOLUNTARIEDAD*

SE + PRONOMBRE **(me, te, le, nos, os, les)** + VERBO

Yo no rompí la botella ——————— **SE ME ROMPIÓ**

Ellos no estropearon el libro ——— **SE LES ESTROPEÓ**

Tú no tiraste el jarrón ——————— **SE TE CAYÓ**

Practique

I.

¿Llevaste tú al enfermo al dispensario?   **.—Sí, yo mismo lo llevé.**

1. ¿Es usted la enfermera de turno?   .—......................................
2. ¿Recogieron ustedes al herido?   .—......................................
3. ¿Rompisteis vosotras la botella?   .—......................................
4. ¿Era ella la que conducía?   .—......................................
5. ¿Visteis vosotros el accidente?   .—......................................
6. ¿Vino él a la clínica?   .—......................................
7. ¿Llamaste tú al médico?   .—......................................
8. ¿Han traído ellos la camilla?   .—......................................
9. ¿Enviaré yo un parte al seguro?   .—......................................
10. ¿Se harán cargo de todos los gastos?   .—......................................

> NOSOTROS **MISMOS** SE LO HABÍAMOS ENTREGADO

II.

Dislocarse un tobillo/él.   **—Se le dislocó un tobillo.**

1. *Estropearse el traje/nosotros.*   —......................................
2. *Caerse el vaso/ella.*   —......................................
3. *Romperse la vajilla/ellas.*   —......................................
4. *Pararse el coche/vosotros.*   —......................................
5. *Romperse una pierna/yo.*   —......................................
6. *Terminarse las localidades/él.*   —......................................
7. *Cerrarse los ojos/ellos.*   —......................................
8. *Mojarse los pies/ella.*   —......................................
9. *Desviarse la bicicleta/tú.*   —......................................
10. *Perderse el libro/vosotras.*   —......................................

93

Entonación

Oraciones imperativas

Hazlo   tú   mismo

Ejercicios prácticos:

1. Entrégueselo Ud. mismo.
2. Díselo tú mismo.
3. Vaya Ud. mismo.
4. Escríbanlo Uds. mismos.
5. Cuéntalo tú mismo.
6. Llévalo tú misma.
7. Ábralo Ud. mismo.
8. Envíaselo tú mismo.

Lo que Vd. debe saber

Declaración de accidente

LA PÓLIZA ES:

¿De Todo Riesgo? ....

¿De Daños a Tercero solamente? ....

¿Se encuentra al corriente de pago? ....

Horas de Oficina: De 8 a 15

DECLARACIÓN DE ACCIDENTE
(Llénese preferentemente a máquina)

Asegurado D. .... Núm. de Póliza ....

Domicilio .... Ciudad y Distrito .... Teléfono ....

Marca del Vehículo	Clase	Número de Matrícula

Fecha del accidente .... Hora .... Día o noche ....

Calle o lugar exacto donde ocurrió .... Provincia: ....

Procedía de .... Se dirigía hacia ....

Velocidad del vehículo .... Distancia a la acera o cuneta de su mano ....

Nombre del conductor asegurado .... Domicilio ....

Edad .... años Estado civil .... Profesión ....

Permiso de conducción: Clase .... N.° .... Expedido en fecha .... en ....

Relación con el asegurado: .... Si es su mecánico, tiempo que lleva a su servicio ....

A juicio de Vd. ¿Tiene la culpa del accidente el conductor de su automóvil? ....

VOLANTE PARA EL MUTUALISTA

Colisión ocurrida el día ....

En (calle o plaza) ....

Matrícula del vehículo contrario .... Clase ....

Nombre y **domicilio** de su conductor ....

Nombre y **domicilio** de su propietario ....

Nombre de la Entidad aseguradora ....

Clase de riesgos que cubre ....

Anote:

advertencias
declaración de accidente
impreso
póliza
todo riesgo
daños a tercero
al corriente de pago
asegurado
permiso de conducción
colisión

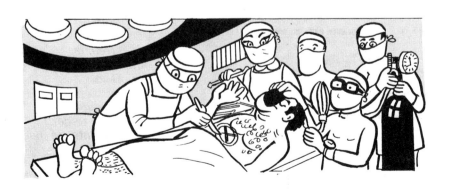

Carmen.—Juan y yo desearíamos decorar bien nuestro nuevo hogar, pero no tenemos suficiente dinero. Nos gustan los muebles funcionales y la decoración moderna, la madera de pino y la de roble, los jarrones de cerámica... Nos encanta la artesanía.

Marta.—Y eso será caro, ¿verdad?

Carmen.—Ya lo creo. Mira, aquí hay una tienda de muebles y objetos de decoración. ¿Entramos?

Marta.—Como quieras. Pero si no tienes dinero, ¿qué vas a comprar? Te advierto que ésta es una de las tiendas más caras de la ciudad.

Carmen.—Tú calla y observa.

Marta.—¡Qué comedor tan moderno! ¿Cuánto vale?

Dependienta.—Cuesta unas cincuenta mil pesetas.

Marta.—La estantería es una preciosidad. ¿Te has fijado en el tapizado del sofá? ¡Oh! Y mira qué estantería. ¡Una monada!

Carmen.—Sí; pero nosotros tendremos un comedor pequeño, sólo cabrá en él una mesa, cuatro sillas, un tresillo y una lámpara de pie. Nada más. La estantería la instalaremos en el cuarto de estudio. La habitación, en cambio, es grande. Mide más de quince metros cuadrados. Vamos a poner en ella una cama de matrimonio, dos mesitas de noche y un armario ropero.

Marta.—A mí lo que me entusiasma es la cerámica. Fíjate: jarrones, ceniceros, vasijas, bandejas... y ¡qué vajilla!

Carmen.—Ya tenemos vajilla y también cubertería y cristalería. Estaban incluidas en la lista de boda. Nos las han regalado los parientes. También nos regalaron una manta, sábanas, una colcha y mantelerías.

Dependienta.—¡Señorita, señorita!

Marta.—¿Te llaman a ti?

Carmen.—¡Qué va! Calla y disimula, mujer. Sé discreta. ¿Yo...?

Dependienta.—Sí, usted. ¿Quiere abrir el bolso?

Carmen.—Pero... ¿por qué?

Dependienta.—El encargado de este mostrador la ha visto robando algo. ¿Haría usted el favor de enseñarme su bolso?

Carmen.—Pero, ¿qué dice usted? Cree que soy una ladrona.

Marta.—Tú calla y observa...

Ampliación

Sorprender al ladrón.

Forzar la cerradura.

Desvalijar un piso.

Cometer un robo.

Atracar un Banco.

Condenar a prisión.

Asaltar a un cobrador.

Cometer un desfalco.

Timar a una anciana.

Merodear por un barrio.

Comprensión

I. *Responda según el diálogo:*

1. ¿Por qué no puede María decorar su hogar a gusto?
2. ¿Qué prefieren María y Juan para su nueva casa?
3. ¿Qué se vende en la tienda donde entran?
4. ¿Cómo es el comedor de la casa de María?
5. ¿Qué van a poner en el dormitorio?
6. ¿Qué regalos tienen ya Juan y María?
7. ¿Por qué se indigna Carmen con la dependienta?
8. ¿Cómo reacciona Marta?

II. *Completar utilizando las palabras del diálogo y amplíe:*

1. Últimamente .... por el barrio individuos sospechosos.
2. Los ladrones .... el banco más importante de la ciudad.
3. Cuando llegaron del cine, encontraron la cerradura ....
4. No les dio tiempo de .... al ladrón; ya había escapado.
5. Lo detuvo la policía e inmediatamente le condenaron a ....
6. Todo lo que necesitábamos lo incluimos en la ....
7. La .... de la tienda se dio cuenta de que Carmen estaba robando.
8. Los objetos de decoración son ....
9. Nos encanta la .... porque está hecha a mano.
10. .... no usan máquinas; todavía trabajan a mano.

III. *Hable sobre:*

1. ¿Es justo condenar a prisión a un ladrón?
2. Usted intenta robar en una librería.
3. La pena de muerte.

Aprenda

I. COMPARACIÓN (casos especiales)

AFIRMACIÓN
- Tenemos **tanto** dinero **como** vosotros
- Tenemos **menos** libros **que** vosotros
- Tenemos **más** dinero **que** vosotros

NEGACIÓN
- **No** tenemos **más que** cien pesetas
- **No** tenemos **más de** cien pesetas

En una comparación, si el segundo término es una cantidad:

a) Se utiliza MÁS DE en frases afirmativas.

b) En las frases negativas existen dos alternativas:

... **NO** ...... **MÁS DE**
- *(Nuestra cantidad es de cien pesetas o menos)*
- **No tenemos más de cien pesetas**

NO ...... **MÁS QUE**
- *(Sólo tenemos cien pesetas, ni más ni menos)*
- **No tenemos más que cien pesetas**

II. FUTURO DE PROBABILIDAD

A veces se utiliza el futuro para expresar probabilidad respecto a la realización de la acción futura.

Ejemplos:

Mañana **estará** *todo el día durmiendo.*

En todo esto se **presentarán** *algunos problemas.*

Habrá *que pensarlo.*

Estará *solo en casa.*

Practique

I.

Vienen esta noche. .—**Probablemente vendrán esta noche.**

1. Decoramos bien el piso. .—...
2. Están estudiando. .—...
3. Cambia de apartamento. .—...
4. Vamos a Inglaterra. .—...
5. Llegan en avión. .—...
6. Vengo por la tarde. .—...
7. Salimos a las cinco. .—...
8. Se marcha antes de cenar. .—...
9. Vienen mis amigos. .—...
10. Voy a ver una película. .—...

No ha escrito **MÁS QUE** dos líneas

II.

Estar en casa 15 días. .—**No ha estado en casa más de 15 días.**
.—**No ha estado en casa más que 15 días.**

1. *Ganar 20.000 pesetas.* .—...
.—...

2. *Correr 100 metros.* .—...
.—...

3. *Robar 1.000 pesetas.* .—...
.—...

4. *Estar en la cárcel dos años.* .—...
.—...

5. *Estudiar dos cursos de inglés.* .—...
.—...

6. *Costar 500 pesetas.* .—...
.—...

7. *Permanecer tres horas en la tienda.* .—...
.—...

8. *Traer una maleta.* .—...
.—...

Ortografía

EL ARTÍCULO (casos especiales)

EL agua	**LAS** aguas
EL águila	**LAS** águilas
EL hacha	**LAS** hachas
EL habla	**LAS** hablas
UN alma	**UNAS** almas
UN arpa	**UNAS** arpas

Se emplea **EL, UN** delante del sustantivo femenino singular que empieza con **A** tónica o **H** muda.

PERO:

LA hache, **LA** a, **UNA** hache

EJERCICIOS PRÁCTICOS.—*Anteponga el artículo adecuado:*

1. .... hache
2. .... haz
3. .... Ana
4. .... aves
5. .... haches

6. .... alta montaña
7. .... árabe
8. .... automóvil
9. .... ambulancia
10. .... aduana

Lo que Vd. debe saber

Factura-pedido

a l s s e r / d e l i n e

fabricación, representación, distribución y venta de:
máquinas, material y mobiliario para oficinas técnicas.

reprografía - ingeniería - arquitectura - delineación
topografía - dibujo - pintura - publicidad - decoración
imprenta - multicopista - offset - copias de planos - fotocopias - microfilms
ampliación - reducción de planos y documentos

Barcelona, 9 de Diciembre de 19 70

su pedido	condiciones	vendedor	albarán
verbal			

N.º

Entrega a: _Escuela de Idiomas Modernos C/ García Morato s/n_

cantidad	concepto	referencia	precio	
	Suma anterior			4.452,50
1	Bolígrafo For-Ever de tres colores (juego)	RF RD 4632		150,-
1	Sobre de etiquetas Apli	sr		16,-
1	Maquina Sacapuntas Staedler	3515		705,-
1	Fichero Carton con sus ficahscorrespondientes			285,-
1	" " con sus " "			185,-
1	Paquete de papel Holandes	1273		52,-
10	Carpetas Dossiers Grises	sr	4,20	42,-
2	Carpetas Carton con pinza	4808	55,-	110,-
1	Bote de goma Arabica Pelikan	1318		28,-
100	Lapices Faber Castell	1042	4,-	400,-
1	Caja de papel carbon Rolan	1261		195,-
1	Caja de gomas Milan	978	2,50	30,-
	Suma y Sigue			6.650,50

Mercancías entregadas en firme. No se admiten devoluciones pasados ocho días desde la fecha de recepción

Anote:

Fabricación	Representación	Distribución
Venta	Mobiliario	Ingeniería
Arquitectura	Publicidad	Decoración

14 | *Es probable que se retrase*

«Señores pasajeros con destino a Palma, diríjanse a la puerta número 6 para embarcar.»

Luisa.—¡Hola! ¿Hace mucho que esperas?

María.—No. Acabo de llegar ahora mismo. Había un gran atasco en la autopista. Creo que hoy se juega un partido de fútbol en el campo del «Hispania».

Luisa.—Tengo muchas ganas de ver a Marta. Pensaba que su avión ya habría aterrizado.

María.—No te preocupes. El avión de París lleva retraso. Lo he leído en el tablero electrónico. En invierno es muy frecuente que los vuelos se retrasen a causa del mal tiempo. Las pistas de aterrizaje no están en buenas condiciones y a veces incluso se efectúan aterrizajes forzosos.

Luisa.—Pues yo, como si lo hubiese imaginado, he venido tranquilamente desde la Estación Terminal con el autobús de la compañía aérea.

«La Compañía «ALAIRE» anuncia la llegada de su vuelo número 204 procedente de París.»

«Último aviso para los señores pasajeros con destino a Palma. Diríjanse urgentemente a la puerta número 6 para embarcar.»

María.—El avión ya ha tomado tierra. ¿Ves a los pasajeros que descienden por la escalerilla?

Luisa.—Sí. La azafata de tierra les está indicando el autobús que les corresponde.

María.—¿Ves a Marta? Está saliendo por la puerta delantera. No debe de haber encontrado pasaje de clase turística.

Luisa.—¡Ah, sí!, no la veía. Se está despidiendo del piloto y de la azafata de vuelo. ¡Le cuesta muy poco hacer amistades!

María.—Ahora pasarán por el control de equipajes y dentro de un minuto ya estarán aquí.

Luisa.—¡Fíjate! No permiten que pase nadie sin haber sido previamente cacheado de arriba abajo.

(Se acerca Marta.)

María.—¡Hola, Marta! ¿Cómo ha ido el viaje?

Marta.—El vuelo ha sido malísimo. Y, además, estuve en el aeropuerto casi dos horas pendiente de la lista de espera. Al final me dieron un billete de primera clase.

Luisa.—Y nosotras pensando que te habían tocado las quinielas...

El helicóptero toma tierra.

Los reactores no llevan hélice.

El paracaídas se usa en casos de emergencia.

La tripulación está en la cabina.

El comandante pilota el avión.

La acrobacia aérea es un deporte arriesgado.

TRIPULACIÓN DE UN AVIÓN

comandante
piloto
copiloto
azafata de vuelo
camarero

Comprensión

I. Responda según el diálogo:

1. ¿Qué hacen Luisa y María en el aeropuerto?
2. ¿Por qué ha llegado tan tarde María?
3. ¿Van a esperar a algún amigo?
4. ¿Por qué se retrasan tanto los vuelos en invierno?
5. ¿Cómo ha ido Luisa al aeropuerto?
6. ¿Por qué sale Marta por la puerta delantera?
7. ¿Ha hecho amistades durante el vuelo?
8. ¿Qué hacen a los pasajeros en el «control»?

II. Complete:

1. Si no tienes mucho dinero, coge un pasaje de clase ....
2. Los vuelos y horarios están anunciados en un ....
3. Por la puerta delantera sólo salen los pasajeros de ....
4. La compañía anuncia la llegada del vuelo .... de Londres.
5. Los señores pasajeros para Madrid deben dirigirse a la puerta número 7 para ....
6. Los pasajeros descienden del avión por ....
7. La .... forma parte de la tripulación del avión.
8. En el control los pasajeros son cacheados de ....
9. Si no tienes billete, debes apuntarte en la ....
10. En los casos de emergencia los pasajeros deben usar ....

III. Hable sobre:

1. Un viaje en avión.
2. Un accidente aéreo. Tiene que usar el paracaídas.
3. Viajar en avión es un lujo de la clase alta.

I.

SUBJUNTIVO

Veo trabajar a Juan }
Veo que Juan **trabaja** } ———➤ No veo que Juan **TRABAJE**

———

El sujeto del verbo principal *no intenta influir* en el sujeto del verbo subordinado; sólo *constata una realidad* = *INDICATIVO.*

Pero en negativo = *SUBJUNTIVO.*

II.

Quiero que Juan **TRABAJE** ———➤ No quiero que Juan **TRABAJE**

———

El sujeto del verbo principal *intenta influir* en el sujeto del verbo subordinado, tanto en frases afirmativas como en negativas = SUBJUNTIVO.

III.

Me molesta que Juan **TRABAJE** ———➤ No me molesta que Juan **TRABAJE**

———

El sujeto del verbo principal *no trata de influir,* pero reacciona *subjetivamente* ante el hecho expresado por el verbo subordinado = *SUBJUNTIVO.*

Practique

I. *Poner en forma negativa:*

Creo que Luis canta.   .—**No creo que Luis cante.**

1. Oigo que tu hijo llora.   —.......................................
2. Vemos que los niños juegan.   —.......................................
3. Notamos que Juan está ausente.   —.......................................
4. Observo que ellos estudian.   —.......................................
5. Creemos que dais una fiesta.   —.......................................
6. Dice que celebráis mi cumpleaños.   —.......................................
7. Observas que trabaja mucho.   —.......................................
8. Creo que hace frío.   —.......................................
9. Vemos que lees novelas.   —.......................................
10. Creemos que sabes bien la lección.   —.......................................

NO QUIERO QUE **VUELVAS** POR AQUÍ

II.

Viajan en avión. *querer.*   —**Quiero que viajen en avión.**

1. Ellos no están en casa. *lamentar.*   —.......................................
2. Fumas un cigarrillo. *prohibir* (a ti).   —.......................................
3. Coméis naranjas. *gustar* (a mí).   —.......................................
4. Ellas trabajan toda la noche. *sorprender* (a ellos).   —.......................................
5. Vais al teatro cada noche. *desagradar* (a él).   —.......................................
6. Escribís con mala letra. *parecer mal* (a mí).   —.......................................
7. María esta enferma. *sentir.*   —.......................................
8. Vosotros estáis bien. *celebrar.*   —.......................................
9. Celebran una fiesta. *permitir* (a ellas).   —.......................................
10. Nuestros amigos no hacen ruido. *rogar.*   —.......................................

CONTRASTE [r] - [r̄]

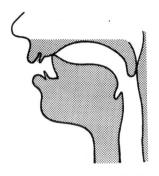

Articulación de [r]

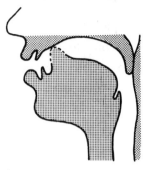

Articulación de [r̄]

[r] ALVEOLAR VIBRANTE SIMPLE   [r̄] ALVEOLAR VIBRANTE MÚLTIPLE

Ejercicios prácticos:

caro	carro
coro	corro
pero	perro
para	parra
foro	forro
pera	perra
hiero	hierro

Lo que Vd. debe saber

Información sobre vuelos

RESERVAS DE PLAZAS.—La reserva de plazas debe hacerse con anticipación en cualquier oficina de IBERIA o en las Agencias de Viaje autorizadas. El billete deberá adquirirse necesariamente en el plazo marcado por la Oficina de Reserva si ésta se hace telefónicamente, o bien puede adquirirse simultáneamente a la reserva efectuada. En el caso de no adquirirse el billete en el plazo marcado, se cancelará la reserva automáticamente.

ANULACION DE PLAZAS.—Toda anulación de plaza efectuada con una antelación a la salida del vuelo menor a dos días, lleva consigo unos gastos. Por tanto, recomendamos la conveniencia de efectuar la cancelación, caso de ser necesario, con la mayor antelación posible.

NIÑOS.—Los niños entre dos y doce años tendrán derecho a ocupar plaza, pagando el 50 por 100 de la tarifa normal, y los menores de dos años no tendrán derecho a reserva, pagando solamente el 10 por 100 de la tarifa normal. Llevando más de un niño menor de dos años, éstos pagarán el 50 por 100 de la tarifa, con derecho a reserva de plaza.

EQUIPAJES.—Cada viajero podrá transportar gratis el siguiente equipaje:

20 kilos, en servicios nacionales y en los servicios internacionales y transatlánticos de Clase Turista o Económica.

30 kilos, en los servicios nacionales, internacionales y transatlánticos de 1.ª Clase.

Los niños que paguen el 50 por 100 de la tarifa normal tendrán la misma franquicia que los adultos, y los que paguen el 10 por 100 no tendrán franquicia alguna.

EXCESO DE EQUIPAJE.—Los excesos de equipaje se pagarán a razón del 1 por 100 de la tarifa de pasaje de 1.ª Clase por cada kilo, estando condicionado el transporte de los mismos al margen de carga disponible del avión.

SERVICIOS DE AUTOBUSES.—El transporte de autobús entre los aeropuertos y las estaciones terminales de la ciudad, y viceversa, se cobra con arreglo a la tarifa que figura en las últimas páginas del presente horario.

HORA LIMITE DE ACEPTACION AL VUELO.—La hora límite de aceptación al vuelo es el tiempo límite de antelación a la hora programada de salida del vuelo (que se indica en el cupón), en el que el pasajero debe haber sido aceptado al vuelo, mediante la entrega por el transportista de la tarjeta de embarque y haber facturado su equipaje.

DOCUMENTOS.—Los pasajeros deben estar en posesión de toda la documentación exigida por las leyes de los países a, desde o a través de los que se vaya a volar, siendo ellos mismos los únicos responsables del cumplimiento de todos los requisitos exigidos en cada caso.

HORARIOS.—Los horarios están expresados en horas locales y se publican solamente a título informativo, no garantizándose en ningún caso la observancia de los mismos, que puede ser modificada sin previo aviso. Las Compañías se reservan igualmente el derecho de interrumpir o suspender un vuelo o un transporte, de diferir total o parcialmente su ejecución o de seguir una ruta distinta a la prevista, pudiendo tomar estas decisiones tanto en el aeropuerto de salida como en una escala o en cualquier otro lugar.

COMIDAS Y REFRIGERIOS.—En los aviones se sirven a los señores pasajeros, gratuitamente, comidas, desayunos o refrigerios, cuando lo exige el horario de la línea, tanto en 1.ª como en Clase Turista o Económica, no estando incluidas en estas últimas las bebidas alcohólicas, que se abonarán por separado.

PROPINAS.—Rogamos a los señores pasajeros se abstengan de ofrecer propinas al personal de IBERIA, que tiene prohibida su aceptación.

Anote:

anticipación
Agencias de Viaje
cancelará
anulación

tarifa
franquicia
tarjeta de embarque
propinas

Juan.—¿Has visto la iluminación de las calles?

Ana.—Sí; es magnífica. Nosotros también tendremos que pensar en nuestra Navidad. Saldremos a comprar un abeto, guirnaldas plateadas y bolas de colores. Este año pienso adornar toda la casa.

Juan.—Como todos los años, Luisito desea que hagamos un belén. Tendremos que comprar figuras nuevas para sustituir a las viejas, y musgo para el fondo y serrín para los caminos y papel de plata para los ríos... ¿Recuerdas cuando nosotros éramos niños? Disfrutábamos mucho cubriendo las montañas de harina, como si fuera nieve.

Ana.—Ya lo creo. Pero ahora se dice que esto ya está pasado de moda.

Juan.—¡Absurdo! La tradición auténtica nunca pasará de moda.

Ana.—Podemos ir a unos grandes almacenes y así aprovecharemos para comprar los juguetes de Reyes. En las pequeñas tiendas han sido vendidos todos; en cambio, en las grandes, como han sido almacenados en gran cantidad, todavía quedan existencias.

Juan.—¿Qué le vamos a comprar a Luisito para Reyes? ¿Ha escrito la carta?

Ana.—Sí, y pide un caballo de cartón, soldaditos de plomo y un estuche de lápices. Nada más.

Juan.—¡Ah! También tienes que comprar un pavo. En Navidad siempre se hace pavo para comer: se rellena el pavo de trufas, se mete en el horno y se saca al cabo de veinticinco minutos.

Ana.—Y compraremos turrones y colgaremos pequeños regalos del árbol de Navidad. Siempre hace ilusión recibir regalos.

Juan.—¿Qué se te podría comprar a ti? Déjame pensar... Ya lo sé: un lavavajillas. Y te lo traerán los Reyes, ¿contenta?

Ana.—Ya lo creo. Gracias por el regalo. Tú también recibirás una sorpresa.

Ampliación

EN NAVIDAD...

Se sortea la lotería.

Se cantan villancicos.

Se pide el aguinaldo.

Se abre una botella de champán.

Se adornan los escaparates con
temas navideños.

Se toca la pandereta.

Se celebra la *Nochebuena.*
Se sale para la *Noche Vieja.*
Se comen las uvas cuando suenan las *doce campanadas.*
Se pasan las Navidades en casa con la familia.
Se mandan *felicitaciones.*
Se desea «Feliz Navidad y Próspero Año Nuevo».

Comprensión

I. *Responda según el diálogo:*

1. ¿Para qué salen de compras Ana y Juan?
2. ¿Qué tienen que comprar?
3. ¿Qué le haría ilusión a Luisito?
4. ¿Cómo se hacen los belenes?
5. ¿Están los belenes pasados de moda? ¿Por qué?
6. ¿Dónde encontrarán Ana y Juan los juguetes para Luisito?
7. ¿Qué pide Luisito a los Reyes Magos?
8. ¿Qué regalo va a recibir Ana?

II. *Complete:*

1. La noche del día 24 de diciembre se celebra la ....
2. Se comen las .... cuando el reloj da las doce campanadas.
3. Se .... una botella de champán el día de Navidad.
4. Se suelen cantar .... en Navidad.
5. Los niños disfrutan poniendo figuras en el ....
6. Se cubre el árbol de Navidad con .... plateadas.
7. Los niños escriben una carta a los ....
8. En la comida de Navidad se come .... de postre.
9. En los belenes se cubren los caminos con .... y los ríos con papel de ....
10. Los comerciantes adornan los escaparates con temas ....

III. *Hable sobre:*

1. La Navidad en su país.
2. Si usted fuera niño, ¿cómo le escribiría una carta a los Reyes Magos?
3. Las fiestas de Navidad sólo son un pretexto comercial.

I.

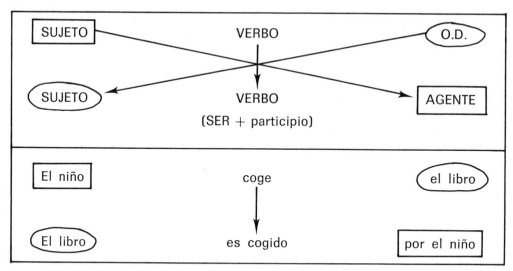

Ejemplo:

Los ladrones robaron el coche ⟶ El coche fue robado por los ladrones

II. *Otra posibilidad usada normalmente para expresar la forma de pasiva:*

SE + Verbo + Nombre SE + Verbo + Frase	SE + Verbo { + Nombre + Que + Frase

Activa

Venden un piso
Dicen algo
Dicen que vendrá
Arreglan coches
Comentan las noticias

Pasiva

Se vende un piso
Se dice algo
Se dice que vendrá
Se arreglan coches
Se comentan las noticias.

En esta forma pasiva con **se,** el nombre concuerda siempre con el verbo.

Practique

I. *Transforme en pasiva:*

1. El perro mordió a tu hermano. .—.....................................
2. María cantaba una canción. .—.....................................
3. Luisito ha escrito esta carta. .—.....................................
4. Las dependientas adornan el escaparate. .—.....................................
5. Los niños cantan unos villancicos. .—.....................................
6. Todos celebran la Nochebuena. .—.....................................
7. Los ladrones asaltaron la joyería. .—.....................................
8. María ha robado todas las joyas. .—.....................................
9. Hemos recibido a nuestros amigos. .—.....................................
10. Los alumnos hicieron los deberes. .—.....................................

SE SUPONE QUE VENDRÁ PASADO MAÑANA

II.

En esta tienda limpian herramientas. .—**SE limpian herramientas.**

1. Dicen siempre la verdad. .—.....................................
2. Todos los años salen para la Noche Vieja. .—.....................................
3. Celebran una fiesta cada semana. .—.....................................
4. El día 22 sortean la lotería. .—.....................................
5. Dicen que lloverá. .—.....................................
6. Arreglan zapatos. .—.....................................
7. Hacen sillas nuevas. .—.....................................
8. Venden toda clase de regalos. .—.....................................
9. Alquilan bicicletas. .—.....................................
10. Dan clases particulares. .—.....................................

Lo que Vd. debe saber

Felicitación navideña

Con mis deseos más sinceros de felicidad, paz y bienestar en estas fiestas navideñas y los mejores augurios de prosperidad para el año que se aproxima.

Antonio

Situación

Cartas a los «Reyes Magos».

Álava: Dolmen.

Klaus.—Ayer estuve en una conferencia muy interesante sobre la Universidad española. En el Círculo Cultural se ha programado un ciclo de conferencias y las dan catedráticos muy conocidos.

Carlo.—¿Quién fue el conferenciante que habló ayer?

Klaus.—No recuerdo su nombre, pero era alguien importante. Nos habló de la organización docente y administrativa de la Universidad. Su charla duró unos treinta y cinco minutos y al final se inició un coloquio en el que participaron muchos de los asistentes.

Carlo.—¿Cómo está organizada la Universidad española?

Klaus.—De manera muy parecida a la de mi país: está dividida en Facultades, presididas por un Decano. Las Facultades dependen del Rector de la Universidad. Por otra parte, cada Facultad está organizada en Departamentos.

Carlo.—¿Y quiénes forman un Departamento?

Klaus.—Los profesores y sus ayudantes; están dirigidos por un jefe de Departamento que controla la calidad docente y dirige los trabajos de investigación de los profesores.

Carlo.—¿Se habló de los títulos que pueden obtenerse en la Universidad?

Klaus.—Sí. El título depende de los años de estudios: después de tres años de carrera, puedes ser Graduado; tras dos años más, consigues la Licenciatura y con el título de Licenciado y la presentación de una tesis doctoral, ya eres Doctor. También se habló de los órganos administrativos llevados por personal no docente: secretaría, bibliotecas, seminarios... Fue realmente interesante.
Nos dijo que para el buen funcionamiento de la Universidad son importantes tanto el aspecto docente como el administrativo.

Carlo.—Yo también iré mañana por allí. Me interesa todo lo relacionado con la realidad española.

Ampliación

Es un empollón.

El bedel entrega las papeletas de examen.

Me han suspendido en dos asignaturas.

Los alumnos toman apuntes.

Tiene un buen expediente.

Hay cola para matricularse.

EXPRESIONES PROPIAS DEL ARGOT ESTUDIANTIL

— Esta asignatura *es un rollo,* no interesa a nadie.

— Le han concedido una *beca:* le cubrirá los gastos de alojamiento.

— En la Universidad, los profesores no suelen *pasar lista.*

— Nunca estudia más de dos horas para un examen; si no lo vigilan, copia lo que puede.

— Le *aprobaron* la física.

— A mí *se me dan muy bien* las asignaturas de letras, pero no las de ciencias.

Comprensión

I. *Responda según el diálogo:*

1. ¿Dónde se dio la conferencia?
2. ¿De qué trataba?
3. ¿Quién la dio?
4. ¿Qué se hizo después de los treinta y cinco primeros minutos?
5. ¿Por quién están presididas las Facultades?
6. ¿Cómo está organizada una Facultad?
7. ¿Cómo puede conseguirse el título de Doctor?
8. ¿Cuántos años de carrera son necesarios para obtener la Licenciatura?

II. *Forme frases con las siguientes palabras o expresiones:*

1. Beca .—..
2. Rector .—..
3. Aprobar .—..
4. Hacer cola .—..
5. Doctor .—..
6. Conferenciante .—..
7. Charla .—..
8. Expediente .—..
9. Tomar apuntes .—..
10. Copiar .—..

III. *Hable sobre:*

1. El sistema educativo en su país.
2. Se adquiere más cultura viajando que estudiando.
3. La educación tradicional está en crisis.

A. USOS GENERALES

POR

1) Expresa la causa o el motivo de una acción:

— Trabajo con Juan **por** amistad.
— Se casó con ella **por** interés.

2) Valor locativo:

— Entramos **por** la puerta.
— Me crucé con él **por** la calle.

3) Valor temporal:

— Mañana **por** la noche lo veremos.

— Esto sucedió **por** los años 30.
— Mi hermana se casa **por** octubre.

PARA

1) Expresa la intención o finalidad de la acción:

— Estas flores son un regalo **para** ti.
— Trabajo **para** sus primos.

2) Valor locativo: «en dirección a»:

— Vas **para** Madrid.
— Compra un periódico si vas **para** la calle.

3) Valor temporal:

— La casa estará terminada **para** dentro de cinco años.
— Necesitamos el libro **para** las 3,00.
— Mi hermana se casa **para** octubre (*más concreto*).

B. USOS ESPECIALES

4) «en beneficio de»:

— Hago esto **por** Juan.

5) «a cambio de»:

— Le cambié su bolígrafo **por** mi lápiz.

6) «sentimiento hacia alguien»:

— Siento una gran simpatía **por** ti.

4) «en lo que se refiere a»:

— Comer mantequilla es malo **para** la obesidad.

5) «en relación con»:

— **Para** su edad está muy bien conservado.

6) «con capacidad para»:

— Esta sala es **para** 3.000 personas.

Practique

I. *Utilice las preposiciones POR y PARA según convenga:*

1. No pases .... casa; estaré fuera todo el día.

2. .... dentro de tres días ya estaré en Alemania.

3. Este cuadro fue pintado .... Picasso.

4. Ayer estuvimos en tu casa .... la noche.

5. Discutimos con Juan .... tu culpa.

6. Le hicieron el regalo .... amistad.

7. Le cambié su coche .... el mío.

8. Todos sentimos una gran simpatía .... ella.

9. Trabajo .... pagar mis estudios.

10. .... la edad que tienes, estás muy bien conservado.

CANTA **POR** AFICIÓN; NO ES PROFESIONAL

II. *Corrija las frases incorrectas:*

1. He llegado tarde para tu culpa.

2. No necesito más que dos maletas para mi traslado de piso.

3. Esta niña no anda todavía; por la edad que tiene, ya debería hacerlo.

4. ¿Para esto me has avisado?

5. Dieron toda la obra de teatro para la radio.

6. Pasaron por París; iban por Roma.

7. Cuando me levanto para la mañana estoy enfadado.

8. El trabajo fue terminado por los ingenieros a las doce.

9. Para la familia he tenido que ponerme a trabajar.

10. Fue declarado culpable para el tribunal.

Casos especiales de acentuación: PALABRAS COMPUESTAS

● **En las palabras compuestas la primera palabra pierde el acento ortográfico:**

> sábelo-todo   = *sabelotodo*
> décimo-séptimo = *decimoséptimo*

● **Se exceptúan los adverbios acabados en mente:**

> cortés + mente = *cortésmente*
> difícil + mente = *difícilmente*

● **Verbo más pronombre enclítico: se conserva el acento:**

> escuché-le = *escuchéle*
> llevó-te   = *llevóte*

EJERCICIO PRÁCTICO.—*Ponga el acento allí donde sea necesario:*

Llegamos facilmente al supermercado que nos habias indicado. Despues de comprar varias cosas, regresamos al apartamento de Isabel.

Por la tarde estuvimos en casa. Nos visito el subsecretario de la organizacion de vecinos del barrio, al que previamente habiamos llamado por telefono. Despues de hablar animadamente durante media hora, se marcho despidiendose cortesmente de nosotros.

Especialidades universitarias

ESTUDIA...	SERÁ...
Derecho	abogado
Económicas	economista
Ingeniería	ingeniero
Arquitectura	arquitecto
Química	químico
Física	físico
Biología	biólogo
Historia	historiador
Filosofía	filósofo
Matemáticas	matemático
Sociología	sociólogo
Antropología	antropólogo
Periodismo	periodista
Magisterio	maestro
Farmacia	farmacéutico
Psicología	psicólogo
Electrónica	técnico en electrónica
Turismo	técnico en turismo

Soy ejecutivo. Trabajo en una empresa de ordenadores electrónicos y estoy al frente del Departamento de Estudios de Mercado. El avión es mi «arma» diaria; hoy estoy en París, mañana en Londres y al día siguiente en Buenos Aires. Conozco todos los aeropuertos del mundo. Mi trabajo es muy importante en una sociedad competitiva como la actual, pero resulta agotador.

Yo soy pintor. Vivo a mi manera. Cuando me apetece pintar, pinto, y cuando no estoy inspirado me dedico a otras actividades, como leer, charlar y pasear. Me encanta hablar de arte. Mis telas se venden bien. Mi marchante organiza varias exposiciones al año y, con lo que gano en ellas, puedo vivir.

Soy terrateniente y vivo de renta. Al morir mi padre heredé todas sus posesiones; las tierras eran fértiles y con unos cultivos apropiados logré que fueran rentables. Ahora ya no necesito trabajar; el beneficio que obtengo anualmente de las fincas me permite invertir en diversos negocios. De esta manera mi economía es muy estable.

Yo soy jardinero. Tengo a mi cargo el cuidado de los jardines públicos de una pequeña ciudad de provincias. Mi trabajo consiste en podar árboles, plantar nuevas especies de flores y regar cuando es necesario.
Mi sueldo es reducido, pero a pesar de ello no estoy totalmente descontento con mi profesión porque me entusiasma cuidar las plantas.

Soy barrendero.

Soy bibliotecaria.

Soy conductor de camión.

Soy sereno.

Soy carpintero.

Soy sastre.

—Es *albañil:*   Se dedica a construir casas.
—Es *basurero:*   Se dedica a recoger la basura.
—Es *pescador:*   Se dedica a pescar.
—Es *granjero:*   Se dedica a cuidar animales.
—Es *policía:*   Se dedica a conservar el orden.
—Es *modista:*   Se dedica a confeccionar vestidos de señora.
—Es *bombero:*   Se dedica a apagar incendios.
—Es *puericultora:*   Se dedica a cuidar niños.
—Es *agricultor:*   Se dedica a cultivar la tierra.
—Es *minero:*   Se dedica a extraer minerales.
—Es *pescadero:*   Se dedica a vender pescado.

Comprensión

I. *Responda según el diálogo:*

1. ¿Cómo viajan generalmente los ejecutivos? ¿Por qué?
2. ¿En qué tipo de sociedad es importante el trabajo de un ejecutivo?
3. ¿Cómo consigue el pintor dinero para vivir?
4. ¿Está el pintor sometido a un horario fijo?
5. ¿Cómo logró el terrateniente que sus tierras fueran rentables?
6. ¿Dónde trabaja el jardinero?
7. ¿Tiene mucho trabajo?
8. ¿Por qué le parece al jardinero que su profesión es agradable?

II. *Responda a las siguientes preguntas:*

1. ¿De qué se ocupa el barrendero?
2. ¿A qué se dedica el granjero?
3. ¿Qué hacen los bomberos?
4. ¿A qué se dedica la puericultora?
5. ¿A qué se dedica el carpintero?
6. ¿Cuál es el trabajo del agricultor?
7. ¿A qué se dedican los mineros?
8. ¿Qué hace la modista?
9. ¿De qué se ocupa el policía?
10. ¿A qué se dedica el pescador?

III. *Hable sobre:*

1. La profesión que usted ejerce.
2. No todos podemos trabajar en lo que nos gusta.
3. Ventajas y desventajas de vivir sin trabajar.

Aprenda

I. INFINITIVO (usos)

VERBO	OBJETO DIRECTO	SUJETO	FRASE VERBAL
Quiero	**PASEAR**	**BEBER**	es peligroso

El infinitivo puede desempeñar diversas funciones: S., O.D., etc.

II. Preposición + INFINITIVO

Tengo ganas **DE** marcharme   Vine **PARA** decírtelo

Se marchó **SIN** avisar   Iremos **A** verte pronto

El infinitivo puede ir precedido de distintas preposiciones.

III. NO + INFINITIVO

En las frases negativas la partícula NO se coloca delante de la palabra a la que afecta directamente.

Ejemplos: Lo dijo para **NO** comprometerse.

Estoy de acuerdo en **NO** ir.

NO estoy de acuerdo en ir.

IV. AL + INFINITIVO

AL decirlo se dio cuenta   **AL** llegar se sentó

AL salir dijo adiós   **AL** saberlo se desmayó

AL + *infinitivo* expresa una acción que ocurre al mismo tiempo que otra.

Practique

I. *Complete usando las preposiciones adecuadas:*

1. ¿Puedes venir .... estudiar conmigo?
2. No te presentes al examen .... haber estudiado.
3. Los niños no paraban ...... moverse.
4. Nos castigaron .... hablar en clase.
5. Cuando estés en España no te olvides ...... escribirme.
6. Ahora me dedico ...... viajar.
7. No estoy descontento .... trabajar aquí.
8. Trabajo .... vivir.
9. Cuando era granjero me dedicaba ...... cuidar animales.
10. ¿Tienes ganas ...... venir conmigo?

AL SALIR me encontré con el nuevo profesor de español

II.

Mientras pasaba, te miré.   **.—Al pasar, te miré.**

1. Cuando salga, te llamo.   .—.....................................
2. Mientras entraba María, llegó Juan.   .—.....................................
3. Cuando lo decía, se dio cuenta.   .—.....................................
4. Cuando llegue, te veré.   .—.....................................
5. En el momento de presentarse, lo conocí. .—.....................................
6. Cuando paseaba se me rompió el zapato. .—.....................................
7. Mientras lo decía, me acordé.   .—.....................................
8. Cuando salía, dijo adiós.   .—.....................................
9. Cuando regresé a casa, supe lo ocurrido. .—.....................................
10. En el momento de abrir la ventana, vi el accidente.   .—.....................................
....

133

Fonética

Usos especiales de «p»

a) La «p» seguida de «t» generalmente es asumida por esta última en la pronunciación coloquial:

septiembre	*aséptico*
séptimo	*apto*

b) Delante de «c» o «s» la «p» mantiene siempre una pronunciación clara:

eclipse	*recepción*
cápsula	*aceptación*
acepción	*captar*

c) La «p» inicial en palabras de origen griego no suele pronunciarse e incluso tiende a no escribirse:

psicología	*psicópata*
psique	*psicólogo*
psiquiátrico	

Lo que Vd. debe saber

Anuncios publicitarios (demandas)

SECRETARIA

Se busca secretaria joven preferentemente soltera con una cierta experiencia y buenos conocimientos de inglés indispensable. (francés y alemán deseables). Dependerá directamente de Gerencia

Interesa persona organizada y con capacidad y motivación por el trabajo poco rutinario. Se piensa en una incorporación rápida al puesto

Remuneración de 250.000 a 350.000 ptas. anuales según características personales. Lugar de trabajo céntrico y jornada de lunes a viernes

Interesada escribir de puño y letra indicando con detalle datos personales asi como de formación y experiencia, remuneración actual y teléfono de contacto a

BEDAUX ESPAÑOLA, S.A.
Avda. Generalísimo Franco, 618
Ref. P-3516
Barcelona

(Empresa encargada de la selección)

BEDAUX

DIRECTOR COMERCIAL

Necesita importante empresa, para montar sección de revestimiento suelos, parquets, etc Gran sueldo y comisión Imprescindible experiencia. Escribir adjuntando curriculum vitae al n.º 2066 de PUBLICIDAD VERGARA, S.A.
Avda. José Antonio, 600, 2.º, 1.ª

Se precisa

MOZO

Tienda decoración con experiencia. Presentarse de 6 a 7 en Moyá, 20

SE PRECISA

SRTA. para empresa **Confección exterior Sra.** con medidas: Busto 90-92 cms., cadera 92-94 cms., altura 165-170 cms., para prueba de prendas y que posea además conocimientos de oficina (mecanografía, etc.) Por temporadas o fija, sueldo a convenir. Presentarse por las mañanas de 7 a 15 en **Confeccines Estrella.** Rosellón, 500, bajos (esquina Dos de Mayo)

IMPORTANTE EDITORIAL

PRECISA

DIRECTOR COMERCIAL

El candidato debe acreditar amplia experiencia comercial. Imprescindible profesionalidad y buenas referencias, solvencia acreditada.

Se ofrece sueldo importante e inmejorable porvenir. Escribir con amplios detalles. y adjuntando curriculum vitae al Apartado de Correos n.º 2.283.

Anote:

demandas, mozo, empresa confección, candidato, amplia experiencia, remuneración.

135

Situación

Oficios y profesiones

Marta.—Como te iba diciendo, la hermana de mi marido se casó con su primo. Imagínate el lío que se armó. ¡Casarse dos primos! Las dos consuegras rompieron sus relaciones y decidieron no hablarse más, pero cuando la pareja tuvo su primer hijo, la familia se reconcilió de nuevo.

Luisa.—¡Qué tonterías! Aborrezco los compromisos familiares. Mi marido y yo nos independizamos totalmente de nuestras respectivas familias ya desde nuestro noviazgo. No querían dejarnos casar. Decían que el bisabuelo de Juan había sido contrabandista y...

Peluquera.—¿Le parece bien así, señora?

Luisa.—Sí; pero ¿no podría usted marcarme con unos rulos más grandes y ponerme un aclarador para disimular las canas?

Peluquera.—Si me lo hubiera dicho antes de lavarle el pelo, le habría puesto un champú especial. Si le pongo los rulos que usted desea, el peinado se le deshará inmediatamente.

Luisa.—No importa. Si no me queda bien el pelo suelto, me haré un moño o una cola. Además no querría estar en el secador más de media hora.

Marta.—¿Y por qué no te haces la permanente? Ahora está de moda el pelo rizado, incluso con melena.

Luisa.—No soy partidaria de esta nueva moda. A mí me interesa la rapidez. Fíjate en mis manos. ¿Sabes cuánto tiempo hace que no me hago la manicura? No puedo entretenerme.

Marta.—Yo tampoco tengo tiempo. Hace varias semanas que busco un momento para teñirme el pelo de rubio. Tendré que utilizar la peluca porque a mi marido no le gustan las mujeres morenas. Pero bueno, acaba de contarme la historia de tu cuñada.

Luisa.—Pues, como te iba diciendo...

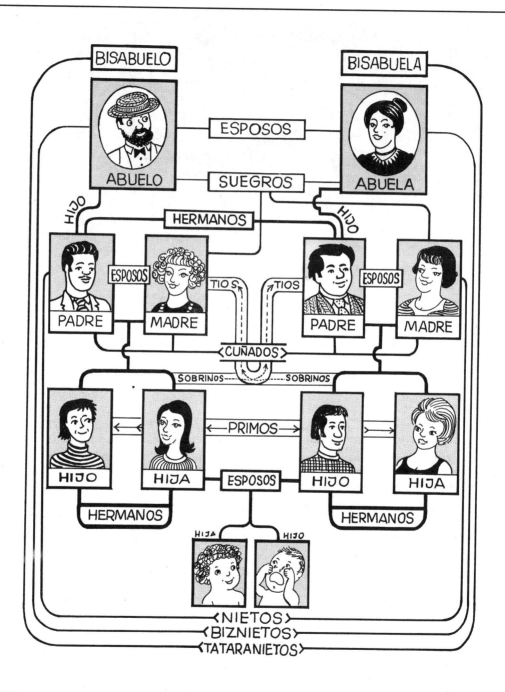

Comprensión

I. *Responda según el diálogo:*

1. ¿Qué le está contando Marta a Luisa?
2. ¿Cuándo se reconciliaron de nuevo las consuegras de la cuñada de Marta?
3. ¿Cómo actuó Luisa respecto a su familia?
4. ¿Por qué la peluquera no desea ponerle a Luisa rulos más grandes?
5. ¿Cómo desea Luisa esconder sus canas?
6. ¿Cómo se peinará Luisa si no le queda bien el pelo suelto?
7. ¿Por qué no quiere Luisa hacerse la permanente?
8. ¿Quiere Marta teñirse de rubio? ¿Por qué?

II. *Complete:*

1. El marido de mi hermana es mi ....
2. El hermano de mi madre es mi ....
3. Los hijos de mis tíos son mis ....
4. La madre de mi padre es mi ....
5. El abuelo de mi madre es mi ....
6. El padre de mi mujer es mi ....
7. Los hijos de mi marido son mis ....
8. La hija de mi primo es mi ....
9. La segunda esposa de mi padre es mi ....

III. *Hable sobre:*

1. El sistema comunitario es mejor que el sistema familiar.
2. Usted va a la peluquería. Describa la situación.
3. Defienda el divorcio.

Aprenda

I. *TÚ, UD.*

Singular	*Plural*	
TÚ	**VOSOTROS**	(si conocemos bien a la persona a la que nos dirigimos)
USTED	**USTEDES**	(si conocemos poco a la persona con quien hablamos)

Nota. En Argentina:

VOS = (tú)	**USTEDES** = (vosotros)

Ejemplos:

1) **Vos cantás** = tú cantas
2) **Uds. cantan** = vosotros cantáis
3) **Vos comés** = tú comes

II. *FÓRMULAS DE CORTESÍA*

Pregunta		*Respuesta esperada*

a)

¿Podría Ud.
¿Haría el favor de
¿Sería tan amable de   + INFINITIVO?
¿Tendría la amabilidad de

Desde luego
Por supuesto
No faltaría más

b)

¿Le molestaría a Ud.
¿Le importaría a Ud.   + INFINITIVO?

Por supuesto que no
De ningún modo
En absoluto

Practique

I. *Transforme según el modelo:*

Lea el periódico en voz baja. —¿Podría leer el periódico en voz baja?

1. Díganos la hora del espectáculo. .—..
2. Acompañe a esta señorita. .—..
3. Salgan de clase. .—..
4. Estudie la lección. .—..
5. Conduzca más despacio. .—..
6. Póngame unos rulos más grandes. .—..
7. Venga conmigo al cine. .—..
8. Esperen en el comedor. .—..
9. Firme estos papeles. .—..
10. Ayúdeme a subir el equipaje. .—..

¿**LE IMPORTARÍA** LEERME ESTA CARTA?

II. *Ponga pregunta a las siguientes respuestas, utilizando la fórmula adecuada:*

¿Le (molestaría) comprarme el periódico? .—**De ningún modo.**

1. ¿........................ cortar el pelo? .—*En absoluto.*
2. ¿........................ pasarme el champú? .—*Por supuesto.*
3. ¿........................ ir al barbero? .—*Ya lo creo.*
4. ¿........................ cortarse las uñas? .—*Sí, en seguida.*
5. ¿........................ venir conmigo? .—*No faltaría más.*
6. ¿........................ abrir sus libros? .—*Al momento.*
7. ¿........................ cerrar la puerta? .—*En seguida.*
8. ¿........................ cenar conmigo? .—*No faltaría más.*
9. ¿........................ acompañarme? .—*Por supuesto que no.*
10. ¿........................ esperarme? .—*De ningún modo.*

EL SESEO

En Andalucía, América Latina, Extremadura y Canarias en lugar de [θ] se suele pronunciar el sonido [S].

Por ejemplo: [plasa] en lugar de [plaθa], [sielo] en lugar de [θielo].

EJERCICIO PRÁCTICO.—*Corrija los errores en el siguiente texto:*

—¿Qué te ha susedido?

—Un sinfín de contratiempos. Cuando iba a la ofisina, se me paró el coche en medio de la carretera. Telefoneé a un taller y vino un mecánico. Se había roto una piesa del motor y tuve que pedir una grúa para llevarlo al taller. Eran las siete menos cuarto. A las dies tenía una entrevista con los representantes de una firma comersial. Cogí el autobús hasta la estasión más sercana. Pero el primer tren salía a las dose menos sinco. Te aseguro que estaba desesperado.

—¿Y qué hisiste, entonses?

—Me llevó Juan en su coche. Había salido a haser unos pagos y se ofresió a llevarme. Llegué a mi despacho a las onse.

Lo que Vd. debe saber

Libro de Familia

Marido

D. ....

falleció en ....
                                                    (provincia)

el ...... de .... de 19 ......

Registro Civil de .... { Tomo ....
                                              { Pág. ....

Sello y fecha:

Certifica (n) y firma (n) D...

Mujer

Doña ....

falleció en ....
                                                    (provincia)

el ...... de .... de 19 ......

Registro Civil de .... { Tomo ....
                                              { Pág. ....

Sello y fecha:

Certifica (n) y firma (n) D...

— 4 —

Segundas nupcias

Registro Civil de .... { Tomo ....
                                            { Pág. ....

Pueblo de ....
                                                    (provincia)

MATRIMONIO.—Celebrado el día ....

de .... de mil novecientos ....

entre D. ....

viu..., cuyas menciones de identidad quedan rese-

ñadas y D. ....

nacid... el día ...... de .... de ....

en ....
                                                    (provincia)

hij... de .... y de ....

domiciliad... en ....
                                        (población, calle, núm.)

estado civil (1) ....

(2) ....

....

Sello y fecha:

Certifica (n) y firma (n) D......................................

(1) Y se expresará también la nacionalidad, si no es la española.
(2) Si hubieren otorgado capitulaciones matrimoniales, se indicará la fecha de la escritura, lugar del otorgamiento y nombre del Notario autorizante. Otras observaciones.

— 5 —

Anote:

falleció   menciones de identidad
registro civil   reseñadas
tomo   capitulaciones

Queridos padres:

Son ya muy pocos los días que me quedan para reunirme con vosotros. Quizás ésta sea la última carta de mis vacaciones.

No obstante, quiero que conozcáis mi fantástica aventura por el mar. El lunes conocí a un viejo pescador, pariente de mi amigo Carlos, que me invitó a salir al mar en su barca al día siguiente. Era una barca pequeña, no tan lujosa como el yate de Luis, y estaba recién pintada; acababa de ser reparada en el dique.

Serían las cinco de la madrugada, cuando nos encontramos en el muelle de pescadores. Todavía era de noche. Yo me puse el impermeable amarillo para que el viento helado no me hiciera tiritar. Zarpamos inmediatamente, desplegamos velas, y al cabo de dos horas ya estábamos en alta mar. El viejo hacía de patrón; yo de marinero. Me mandó que echara el ancla y él mismo tiró las redes al mar. Después de terminar este trabajo, ya eran las nueve y decidimos almorzar.

En cuanto sacamos las redes por estribor, nos dimos cuenta de que había sido atrapada una gran cantidad de peces: pescadillas, sardinas, pulpos, lenguados y muchas especies más. Colocamos el pescado en la bodega después de haberlo seleccionado, e inmediatamente pusimos proa hacia el puerto. Soplaba un viento suave que nos condujo lentamente hacia tierra. Cuando desembarcamos ya eran las cinco de la tarde y todavía nos quedaba trabajo: el patrón me pidió que descargara el pescado y dejara la barca bien amarrada en el embarcadero para que no fuera a la deriva.

Ésta fue mi primera aventura en el mar.

Dad recuerdos a tía Mercedes y recibid un cariñoso abrazo de vuestro hijo.

Alonso

Los niños visitan el rompeolas.

Los pescadores venden el pescado en la lonja.

El faro orienta a los barcos.

Se dedican a la pesca del bacalao.

Recogen las velas.

El marinero maneja el timón.

MENÚ MARINERO

lenguado *a la plancha*	atún *en escabeche*
besugo *al horno*	gambas *al ajillo*
mejillones *al vapor*	almejas *a la marinera*
merluza rebozada	rape hervido
calamares *a la romana*	salmonetes fritos
salmón ahumado	dorada *a la parrilla*
sopa de pescadores	zarzuela de mariscos
parrillada de pescado	langosta con mayonesa

Comprensión

I. *Responda según el diálogo:*

1. ¿Por qué dice Alonso que probablemente será ésta la última carta?
2. ¿Cómo conoció Alonso al pescador?
3. ¿Cómo era la barca del viejo marinero?
4. ¿Por qué se puso Alonso un impermeable?
5. ¿Obedeció Alonso las órdenes del pescador? ¿Por qué?
6. ¿Cuáles fueron los tres primeros trabajos de Alonso y el pescador?
7. ¿Por dónde sacaron las redes del mar?
8. ¿Había muchos tipos de peces atrapados en las redes? Nombre algunos.

II. *Complete:*

1. Los pescadores venden el pescado en la .... de pescadores.
2. Tomaría un aperitivo con .... al ajillo.
3. No me gustan los pulpos .... si no están muy frescos.
4. Para reparar las barcas hay que llevarlas al ....
5. Normalmente los pescadores echan las redes por ....
6. Después de la pesca la carga es colocada en la ....
7. Si no dejamos la barca bien amarrada irá a la ....
8. El lenguado .... es mi plato favorito.
9. En una noche de tormenta el .... orienta a los barcos.
10. Los pescadores .... a primeras horas de la madrugada.

III. *Hable sobre:*

1. Sale de pesca con un marinero amigo suyo.
2. Está en alta mar. Hay tormenta y el barco peligra. ¿Qué hará?
3. Los pescadores no ganan suficiente dinero para vivir.

Aprenda

INDICATIVO - SUBJUNTIVO **(Esquema general de correspondencia de tiempos)**

FRASE PRINCIPAL	FRASE SUBORDINADA
PRESENTE	PRESENTE
PASADO	PASADO
FUTURO	PRESENTE
CONDICIONAL	PASADO

Ejemplos:

Le he prohibido
Le prohíbo
Le prohibí
Le prohibiré
Le prohibiría

+ que +

vaya al cine
fuera al cine
vaya al cine
fuera al cine

Me gusta
Me gustaba
Me gustó.
Me gustará
Me gustaría

+ que +

aprendas español
aprendieras español
aprendieras español
aprendas español
aprendieras español

Lamento
Lamentaba
Lamenté
Lamentaré
Lamentaría

+ que +

fumes
fumaras
fumaras
fumes
fumaras

Practique

I.

| **Me sorprende que digas eso.** | **.—Me sorprendía que dijeras eso.** |

1. Esperan que digas la verdad.   .—......................................
2. No permite que salgas a la calle.   .—......................................
3. Le molesta que vengas.   .—......................................
4. No les gusta que te quedes.   .—......................................
5. Dudo que llegue a tiempo.   .—......................................
6. Siento que tengas que esperar tanto.   .—......................................
7. Desea que no se lo digas a nadie.   .—......................................
8. Me sorprende que estés aquí.   .—......................................
9. Nos desagrada que no estudies.   .—......................................
10. ¿Os extraña que no lo sepamos?   .—......................................

TE PROHÍBO QUE SALGAS SOLO

II. *Completar:*

1. Esperaré a que tú *(venir)* ....
2. Lamento que no *(haber)* .... podido vernos.
3. No permitiré que vosotros *(ir)* ....
4. Deseaban que ella *(estudiar)* ....
5. Dudábamos que tú lo *(hacer)* ....
6. Me gustaría que *(estar)* .... todos aquí esta tarde.
7. No me sorprendería que Isabel *(estar)* .... en la fiesta.
8. Temía que no te *(dejar)* .... salir conmigo.
9. ¿Esperarás hasta que yo *(terminar)* ....?
10. No puedo permitir que vosotros *(copiar)* ....

Ortografía

PALABRAS QUE CAMBIAN EL SIGNIFICADO AL CAMBIAR EL ACENTO

I.

agudas	llanas
cantó	canto
rió	río
llenó	lleno
caminó	camino
estás	éstas

II.

agudas	llanas	esdrújulas
depositó	deposito	depósito
animó	animo	ánimo
limité	limite	límite
arbitró	arbitro	árbitro
numeró	numero	número

Ejercicio práctico: Busque en el diccionario más ejemplos como los anteriores.

Lo que Vd. debe saber

Menú de un hotel

HOTEL GUILLEM

Este establecimiento ofrece además el «MENU DEL DIA», compuesto de dos platos (uno de ellos a base de pescado, carne o aves), postre, pan y 1/4 de litro de vino del país o agua mineral embotellada.

PRECIO GLOBAL *250* PTAS.

Siempre que se hubiese agotado alguno de los platos componentes del «MENU DEL DIA», el cliente podrá pedir en su sustitución otro, a base de pescado, carne o aves, sin abonar diferencia alguna.

MENU DEL DIA

PRIMER GRUPO

Entremeses
Ensalada verde
Ensalada catalana
Espárragos con mahonesa
Zumo de tomate
Zumo de pomelo

SEGUNDO GRUPO

Canelones al gratín
Macarrones a la italiana
Paella de arroz
Huevos al plato
Tortilla con jamón
Tortilla de espárragos

TERCER GRUPO

Calamares romana o plancha
Merluza romana o plancha
Rape romana o plancha

CUARTO GRUPO

Lomo de cerdo
Bisteck a la plancha
Pollo al horno

QUINTO GRUPO

Melocotón en almíbar
Pera en almíbar
Flan caramelo
Helado
Fruta

COMPOSICION DEL MENU

Un plato a elegir entre el primer grupo y segundo grupo
Un plato a elegir entre el tercer grupo y cuarto grupo
Un postre a elegir del quinto grupo

Precios globales, servicio e impuestos incluidos.

ANOTE las palabras subrayadas.

José.—Estamos muy contentos de que nos permita visitar su finca. Y más todavía de que se preste a explicarnos las labores del campo. Tenemos mucho que aprender.

Teresa.—Ya lo creo. ¿Qué es aquello?

Sr. Antonio.—Es un bancal de pimientos. Se plantan a principios de verano y se recogen en agosto. No cultivo muchas hortalizas en mi finca. No es tierra de regadío, sino de secano. Aquí se cosecha sobre todo trigo, y también alfalfa para los animales. Sembramos el trigo en otoño.

Teresa.—¿Cuándo es la siega?

Sr. Antonio.—En verano. Nos lleva mucho tiempo, porque no disponemos de cosechadora. Todavía segamos con la hoz. Después de segar, tenemos que trillar la mies y después limpiar el grano. Estas faenas solemos hacerlas en la era que hay a la entrada del pueblo. No cultivamos la propiedad entera cada año; dejamos partes en barbecho y así la tierra, cuando recibe la simiente, es más fértil.

José.—¿Qué significa barbecho?

Sr. Antonio.—Dejar la tierra labrada, pero sin sembrar, para que descanse una buena temporada.

José.—¡Ah! Ya comprendo. ¿Y cómo ara usted?

Sr. Antonio.—Ahora tengo un tractor. Antes lo hacía con el arado, arrastrado por una pareja de bueyes. Los tiempos han cambiado. Poco a poco iré mecanizando mi propiedad.

Teresa.—¿Produce usted fruta?

Sr. Antonio.—He plantado algún frutal, muy pocos. Los árboles frutales dan mucho trabajo. Hay que podarlos, regarlos a menudo, abonarlos continuamente, y cuando la fruta está madura, hay que recogerla porque se pudre.

José.—Yo trabajé un verano en la recolección de peras, en una finca cuyo dueño era mi tío. ¡Qué trabajo más duro!

Sr. Antonio.—Para mí no lo es. Usted es un hombre de ciudad. Para ustedes, el campo es una diversión; para nosotros los labriegos, una obligación.

Cava la tierra con la azada.

El espantapájaros protege los sembrados.

Vendimiamos en septiembre.

Echa la simiente en los surcos.

Los conejos comen hierba.

Saca agua del pozo.

El **olivo** da aceitunas

El **castaño** da castañas

El **almendro** da almendras

El **peral** da peras

El **albaricoquero** da albaricoques

La **vid** da uvas

La **higuera** da higos

El **nogal** da nueces

Comprensión

I. Responda según el diálogo:

    1. ¿Cuándo planta el agricultor los pimientos?
    2. ¿Por qué no cultiva hortalizas?
    3. ¿Qué se produce sobre todo en la finca del señor Antonio?
    4. ¿Por qué la siega es todavía para él una labor lenta?
    5. ¿Dónde limpia y trilla el trigo?
    6. ¿Por qué se deja el terreno en barbecho?
    7. ¿Qué trabajos hay que hacer con los frutales?
    8. ¿Es diferente el campo para un ciudadano y para un campesino? ¿Por qué?

II. Dé el verbo o expresión adecuada para las siguientes expresiones:

    1. Dejar descansar la tierra una temporada   .—.....................
    2. Remover la tierra antes de sembrar   .—.....................
    3. Echar agua en las plantas   .—.....................
    4. Cortar las ramas innecesarias de los árboles   .—.....................
    5. Recoger la uva   .—.....................
    6. Poner simiente en los surcos   .—.....................
    7. Cortar la mies   .—.....................
    8. Utilizár la azada para remover la tierra   .—.....................
    9. Separar la paja del grano.   .—.....................
    10. Poner abono en la plantación   .—.....................

III. Hable sobre:

    1. La agricultura en su país.
    2. Explique por qué prefiere la ciudad.
    3. El campesino desea abandonar el campo. ¿Por qué?

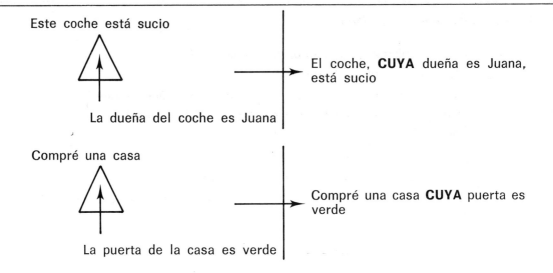

Este coche está sucio

La dueña del coche es Juana

El coche, **CUYA** dueña es Juana, está sucio

Compré una casa

La puerta de la casa es verde

Compré una casa **CUYA** puerta es verde

Véase: — Ya vendimos aquel apartamento **cuyas** habitaciones eran oscuras.

— Aquellas chicas, **cuyos** padres conoces, no pueden salir.

CUYO / -A / -OS / -AS concuerdan con la palabra a la que acompañan, no con el nombre al que sustituyen.

DEL / LA CUAL // DE LOS / LAS CUALES concuerdan con el nombre al que sustituyen.

{ El coche, **CUYA DUEÑA** es Juana, está sucio }
{ El coche, la dueña del cual es Juana, está sucio }

CUYO / A / OS / AS pueden ir precedidos de preposición:

Aquel carpintero, **A CUYA** mujer vi ayer, vendrá por la tarde.

Visité al chico **EN CUYO** hotel pasé unos días.

Así es María, **DE CUYA** amistad me avergüenzo.

Estas formas son poco utilizadas en el lenguaje hablado; aparecen con más frecuencia en el lenguaje escrito.

Practique

I. *Cambie «del cual, de la cual, de los cuales, de las cuales» por «cuyo, cuya, cuyos, cuyas»:*

1. Los lápices de colores, la punta de los cuales está rota, son míos.

   .—...

2. Mis amigas, el coche de las cuales se ha estropeado, no han llegado.

   .—...

3. Me lo ha dicho mi tío, la mujer del cual es mi profesora.

   .—...

4. El Sr. Antonio, en las fincas del cual hemos trabajado, es muy amable.

   .—...

5. Prefiero esta ciudad, las calles de la cual son típicas.

   .—...

EN UN LUGAR DE LA MANCHA, **DE CUYO** NOMBRE...

II. *Transforme, utilizando «cuyo, cuya, cuyos, cuyas»:*

1. Esta carretera, famosa por sus curvas, pasa por León.

   .—...

2. Aquel río, conocido por su nombre, pasaba por mi pueblo.

   .—...

3. El director, del cual todos admiramos sus cualidades, es muy joven.

   .—...

4. Los idiomas modernos, necesarios por su uso, son muy estudiados en la actualidad.

   .—...

5. La Rioja, famosa por sus vinos, es una región española.

   .—...

El cuidado de las plantas

en el balcón y la terraza

en el jardín

ES EL TIEMPO DE LAS ROSAS

Las rosas de todas las especies y variedades están comenzando a florecer, por ello, es oportuno, controlar a menudo sus ramas con el fin de poder intervenir en el momento preciso en el caso de que se notase la presencia de piojos u otros insectos (rociar la planta con veneno a base de pelitre). Si apareciese en el follaje de las hojas una capa blancuzca, síntoma evidente del mal blanco, rociar rápidamente con agua y azufre ramoso (4 gramos por litro); repetir la operación cada semana hasta la desaparición total de esa especie de moho.

Se aconseja también proceder sistemáticamente a la eliminación de los capullos secundarios de las variedades "que florecen con flores grandes"; de esa manera, las rosas tienen un desarrollo mayor y los tallos crecen más rectos.

Los rosales "trepadores que no refloren", y en esta época se hallan en floración o acaban de terminar de florecer, deben ser podados en cuanto sus corolas se marchiten.

ES UTIL ACORDARSE DE:

— renovar las plantitas de flor de las macetas en las que al principio de la primavera habían florecido las bulbosas, las belloritas, los nomeolvides, las violetas o pensamientos

— colocar, lo antes posible, en la terraza los geranios, las lantanas, los arbustos de flor o de follaje y los trepadores

— disponer un oportuno abrigo con laminados plásticos, lonas o esteras si el balcón está muy orientado al sol

— regar con más o menos frecuencia según la región y la exposición, teniendo en cuenta naturalmente las exigencias particulares de cada especie.

Anote:

florecer	*violetas*
capullos	*pensamientos*
marchiten	*geranios*

Segovia: Acueducto.

Lista de palabras

A

abeto
abonar
abrazo
absurdo
abundante
aceitunas
acelerador
acelgas
acera
aclarador
acomodarse
acostumbrar
acrobacia
actividades
actual
actualidad
acuarama
acuario
acusado
acusar
adecuada
adelante
administración
administrativo
adornar
adquirir
advertencia
advertir
aérea
afectar
afición
afirmar
agencia
agente
agotadas
agricultor
águila
aguinaldo
ahijado
ahumado
aire
ajillo
ajos
alas
albañil
albaricoquero
albaricoques
alcachofas
alegar
alfalfa

almacenados
almejas
almendras
almendro
almorzar
alojamiento
altitud
alubias
alunizaje
amabilidad
amarrada
ambulancia
amerizaje
amistad
amplio
ancla
angulas
animarse
antelación
anticiclón
anticipación
antropoides
antropología
antropólogo
anualmente
anular
apagar
apenas
apetecer
apetito
apio
aprobar
apropiados
aprovechar
apto
apuntes
arado
arar
«Ares»
Argentina
arma
armarse
arquitectura
arrastrado
arriesgado
arrojar
arroz
artesanía
artificial
ascender
asegurado
asiento

asignaturas
asilo
asistentes
asomarse
astronauta
astronave
asuntos
atasco
atención
atender
aterrizaje
aterrizar
atmósfera
atómica
atracar
atracciones
atrapar
atreverse
auténtica
autopista
avenida
aventura
avergonzarse
aviario
avisar
aviso
ayuda
ayudantes
ayuntamiento
azada
azafata

B

bacalao
bailarinas
baldosas
ballet
balneario
bancal
baños
barbecho
barrendero
barrio
basura
basurero
beca
bedel
belén
beneficencia
beneficio

benigno
berenjena
besugo
bibliotecaria
biología
biólogo
bisabuelo
bolas
bombero
boniatos
borrasca
Brasil
«Brio»
broma
Buenos Aires
bueyes
búho
burro

C

caber
cabina
cabra
cachear
calabacines
calamares
calentador
calidad
calificación
callar
calmarse
cámara
cambio
camilla
camilleros
caminar
camino
camión
campanadas
Canarias
canario
canas
cancelar
cangrejos
cantidad
capitulaciones
cápsula
caracoles
caravana
cariñoso

carnicería
carpintero
cartón
casado
castañas
castaño
catedral
catedráticos
causa
cavar
cebollas
cédula
ceja
cementerio
ceniceros
centígrados
céntricas
cerámica
cerezas
cerradura
ciclo
ciencias
cierre
ciertamente
cigalas
cinturón
circulación
circular
círculo
cirujano
citación
civil
clásico
clínica
coche-cama
cocodrilo
cohete
cola
colcha
coles
colgar
coliflor
colisión
coloquio
comandante
combinado
combustible
comentar
cometer
cómica
comienzo
comisaría
compañía
comparecer
competitiva
completa
comprobar
comprometerse

compromisos
condenar
condiciones
conducción
conducir
conductor
conejos
conferenciante
conforme
confortable
conservado
consigna
consistir
consistorial
construir
consuegra
consulado
consumición
consumir
consumo
contaminación
continua
contrabandista
contraria
controlar
control
copa
copiar
copiloto
Corrales (Los)
corrección
corresponder
corte
cortina
cosechadora
cosechar
coser
cristalería
cruzarse
cuadros
cualquier
cubertería
cuenta
cuidar
culpable
cultivar
cultivos
cultural
cuñado

CH

champán
champú
charla
chimpancé
chispas
chistes

chocar
chubascos

D

danza
dar parte
dátiles
Decano
decoración
decorado
decorar
declaración
defender
delantera
delfín
deliberar
demanda
denuncia
departamento
derecho
deriva
descanso
descargar
descender
desconectar
descontento
descorchar
descuento
descuido
desembarcar
desenchufar
desenvolverse
desfalco
despedida
despedirse
despegue
despejar
desplazarse
desplegar
destinados
destino
desvalijar
desviarse
detalle
detective
determinada
diaria
dictar (sentencia)
dificultades
dique
Dirección
dirigidos
dirigirse
discreta
disfrutar
disimular

dislocado
disminuir
dispararse
dispensario
disponer
distinto
distraer
distribución
distrito
diversión
divorciado
docente
doctoral
dominio
dorada
droguería
durar
duro

E

economía
Económicas
economista
efectivamente
efectuarse
ejecutivo
electricidad
electrónica
electrónico
elefante
elegante
elevarse
embarcadero
embarcarse
embarque
embotellada
emergencia
emocionado
empollón
empresa
encantar
encarcelar
encargado
encargarse
encenderse
encerar
energía
enfrente
ensayar
ensayo
entera
entrada
entretenerse
entusiasmar
envuelto
época

era
escabeche
escalerilla
escaparate
escarolas
escenario
escultura
espacial
espacio
espantapájaros
esparadrapo
especialista
especies
esperar
estable
establecimiento
estacionado
estacionarse
estado civil
estanco
estimar
estrenar
estrenos
estribor
estropearse
estuche
estufa
estupendamente
evitar
exactamente
excelente
excepto
excesivo
existencias
éxito
expedido
expediente
experiencias
expreso
extraer

F

fabricación
facilidades
facturación
facturar
facultades
faena
fallecer
familiares
fantástica
farmacéutico
farmacia
faro
felicitaciones
fenomenal
feroz

fértil
festivo
figuras
fijarse
fila
filosofía
filósofo
fin
finca
fiscal
física
físico
fondo
formarse
formular
forzar
forzosos
franquicia
frente cálido
frente frío
fresones
fritos
fuentes
fuera
funcionamiento

G

gallina
gamba
ganas
ganga
garbanzos
gas
gasa
gastos
general
generalizarse
gestión
global
gorila
grados
graduado
gramos
granero
granjero
grano
gravedad
guarda
guiar
guirnaldas
guisantes

H

harina
hélice

helicóptero
heredar
heridos
hermosa
higos
higuera
hilo
hipopótamo
hispánica
historiador
hogar
horno
hortalizas
hospedarse
hoz
huerta

I

identidad
iluminación
ilusión
impaciente
imponerse
importe
impresión
impresionante
impresos
impuesto
incendio
incluido
incluso
independizarse
indicado
industria
infracción
ingeniería
iniciarse
inmediatamente
inocente
inspirado
instalaciones
instalarse
intensivo
internar
intérpretes
invertir
investigación
investigar
inyección

J

jabón
Japón
jardinero
jarrones

jefe de estación
jornada
juguetes
juicio
jurado
juramento
jurar
juzgado

L

laborable
labores
labrada
labriegos
ladrar
lagarto
lamentar
lana
langosta
lanzamiento
lata
lavavajillas
lechuga
lema
lenguados
lentejas
lentamente
leopardo
letras
leve
libre
licenciado
licenciatura
ligeramente
limitar
lío
liquidación
lista de bodas
lobo
localidad
localidades
lograr
Londres
lonja
loro
lotería
luminosa
luna

M

maceta
madera
madrastra
madrina
madrugada

maestro
mágica
magisterio
maquinaria
mandos
manejar
manicomio
manicura
maniobra
manta
mantelería
mantener
mantequilla
maravilloso
marcar
marchante
marido
mariscos
matemáticas
matemático
maternidad
matrícula
matricularse
matrimonio
maullar
máxima
máximo
mayonesa
mayores
mecanizar
medicina
medida
medios
melena
melones
menciones
mercería
merluza
merodear
mesita
metro
miedoso
miel
mies
minerales
minero
mínima
mobiliario
moderno
modista
molestia
monumento
moño
moral
morder
morena
mostrador
movimientos

mozo
muelle
municipal
musgo

N

nabos
Naciones Unidas
nave
Navidad
navideños
nieto
Nochebuena
Noche Vieja
nogal
no obstante
noviazgo
novio
nublarse
nueces
nuera
numerada
nupcias
nutria

O

obesidad
objetos
obligación
obligar
obtener
ocasión
ocio
ocuparse
olivo
olor
operar
óptimo
orangután
órbita
ordenadores
ordenanza
organización
organizada
órganos
orientar
original
oso
ostras
oveja

P

padrino
panadería

pandereta
pantalla
pantera
papeletas
paracaídas
parecida
parejas
parientes
París
parrillada
participación
participar
partida
partidaria
pasaje
pasajero
pase
paso
pastelería
patrón
pavo
peatón
peinado
peluca
pepino
peral
perfecto
periferia
periodismo
periodista
perla
permanente
permiso
persona
personal
personalmente
Perú
pescadero
pescadillas
pescador
petróleo
pez
pillo
pilotar
piloto
pimientos
pino
placer
plancha
planchar
plantar
plata
plateados
plato
plazos
plomo
podar
política

póliza
polucionado
posesiones
posible
potencia
pozo
practicante
precauciones
precio
preciosidad
precipitaciones
preparar
presenciar
presentado
presentador
preservar
presión
prestar
presunto
previamente
primo
prisión
proa
probablemente
procedente
profesión
profeta
programar
propiedad
propina
próspero
protagonista
proteger
provincia
proyectil
psicología
psicólogo
publicidad
público
pudrirse
puericultura
pulpos

Q

química
químico
quinielas
quirófano

R

rampa
rape

rápidamente
rapidez
rápido
raro
ratito
reactores
realización
realizar
rebaja
rebozada
rebuznar
recién
recinto
recipiente
recluta
recolección
reconciliarse
rector
redes
reducido
reestreno
referirse
regadío
registro
regular
relacionado
relaciones
remuneración
renta
rentable
reparada
reparos
representación
resbalar
reseñadas
reservas
respectivas
respirar
restringir
retrasarse
retraso
reunirse
revisar
Reyes Magos
riesgo
rizado
roble
rollo
romana
rompeolas
ropero
ruedas
rugir
rulos
rumbo

S

sábanas
salario
saldos
salmón
salones
saltamontes
sancionar
sardinas
sastre
satélite
satisfacer
secador
sección
secretaría
segundos
seguridad
seleccionar
sembrados
sembrar
seminarios
sentencia
señal
señalado
señalar
sereno
serpiente
serrín
servicio
sesión
siega
siglo
significar
simiente
simpatía
sin embargo
sirena
situado
sobrino
sociedad
sociología
sociólogo
socorro
solar
soldaditos
soltura
sombras
sortear
subterráneo
suceder
suegro
sueldo
suelto
superficial
suponer
surcos

suspender
sustituir

T

tablero
tablón
talgo
tapar
tapizado
taquilla
tardar
tarifa
tarjeta
técnico
telas
telediario
telescopio
telespectadores
telón
temas
temido
temporada
teñir
término
terrario
terrateniente
terrestre
tesis
testigo
«tic-tac»
tigre
timar
tímido
timón
tío
tiritar
títulos
tobillo
tomates
tomo
tormento
torre
tortuga
total
totalmente
tractor
tradicionales
tráfico
tranquilamente
tránsito
transplante
transportar
transporte
tren correo
tren directo
tren tranvía

tresillo
trigo
trillar
tripulación
tripular
truchas
trufas
turismo
turno
turrones

U

ultramarinos
urbano
urgencias
urgentemente
utilizar

V

vaca
vacunar
vajilla
valer
validez
vapor
variedad
velas
velocidad
veloz
venda
vendimiar
ventanilla
verdura
vestuario
vías
vid
villancicos
vista
viudo
volante
vos
vuelos

Y

yate
«Yerma»
yerno

Z

zanahorias
Zaragoza
zarpar
zarzuela
zona

Expresiones

a bordo
a causa de
¿a cómo va?
ahora mismo
al cabo de
al compás
al contado
al corriente de pago
al final
a medida
a mi cargo

a mi manera
apenas si
a plazos
a su disposición
a sus anchas
a todo riesgo
a todo tren
¡caramba!
de arriba abajo
de broma
de buenas

de espaldas
de nada
de ningún modo
desde luego
en absoluto
en diez minutos
en efectivo
en general
en orden
en menos de
en nada

en serio
en tal caso
en virtud de
mientras tanto
¡oye!
por adelantado
por el contrario
puesto que
sin embargo

Indice

ESPAÑOL EN DIRECTO

Nivel 1A (Sánchez, Ríos, Domínguez).

- Libro del alumno
- Cuaderno de ejercicios
- Libro con los ejercicios estructurales
- Guía didáctica
- 4 cassettes (ejercicios estructurales)
- 2 cassettes (diálogos) C-60
- 220 diapositivas

Nivel 1B (Sánchez, Ríos, Domínguez)

- Libro del alumno
- Cuaderno de ejercicios
- Libro con los ejercicios estructurales
- Guía didática
- 5 cassettes (ejercicios estructurales)
- 1 cassette (diálogos) C-60
- 168 diapositivas

Nivel 2A (Sánchez, Cabré, Matilla)

- Libro del alumno
- Cuaderno de ejercicios
- Guía didáctica
- Libro con los ejercicios estructurales (2A y 2B)
- 3 cassettes de ejercicios estructurales (2A y 2B)
- 1 cassettè con los diálogos

Nivel 2B (Sánchez, Cabré, Matilla)

- Libro del alumno
- Cuaderno de ejercicios
- Guía didáctica
- Libro con los ejercicios estructurales (2A y 2B)
- 2 cassettes con los textos de lectura

Nivel 3 (Sánchez)

- Libro del alumno